수의사 국가시험 대비 KVLE 모의고사 2024

발 행_ 2023년 12월 11일

편저자_ 수의미래연구소
펴낸이_ 수의미래연구소
디자인_김희성
발행처_ 젊수
출판사등록_2023년 05월 03일 (제 330-2023-000006호)

비영리단체 수의미래연구소
고유번호_ 203-82-67004
이메일_vetfuin@gmail.com
홈페이지_ www.vetfi.org
인스타그램_ @young0vet
카카오톡 채널_ "수의미래연구소" 검색 또는 http://pf.kakao.com/_XktxbK

ISBN_979-11-983810-5-7

소개

사람과 동물이 함께하는 우리의 세상

영리활동을 하지 않는 비영리단인 '수의미래연구소'는 젊은 수의사로서 동물 의료계 뿐 아니라 대한민국, 그리고 더 큰 세상을 향해 의견과 대안을 제시하며 행동하는 것을 목표로 합니다. 수의미래연구소는 사람과 동물이 함께하는 우리의 세상을 위한 행동을 지속할 것입니다.

| 젊은수의사 인스타그램 소통 플랫폼 | 크브레 (KVLE) 수의사 국가시험 개선 프로젝트 | 베트원 수의사와 수의사를 잇다 |

설립목적

동물의료계의 장기적 발전 방향 및 정책 제시

수의사 국가시험 뿐 아니라 수의학도로서, 젊은 수의사로서 대한수의사회 등에 수의계의 미래에 대한 요청사항이나 건의사항을 전달할 창구 및 정책 연구소의 역할 또한 충분히 다할 수 있을 것이라 판단됩니다.

수의사 국가시험의 체계적인 준비 및 대응법 제시

현재 수의사 국가시험은 기출문제가 공개되지 않으며 시험 범위라 할 수 있는 교과서가 명확하게 정해져 있지 않습니다. 수의학도라 할지라도 수의학과 4학년(본과 4학년)이 되기 전까지는 수의사 국가시험 문제를 접할 기회가 없으며, 이러한 현실은 6년간 공부를 하는 과정에서 상당한 모순이라 생각됩니다.
최근 대한수의사회에서 적극적으로 국가시험 문제를 공개하고 부족한 부분을 보완하는 방향으로 조직 구조를 수정하는 등의 절차를 진행 중이기에 학생 차원에서도 이와 협력 및 대응하여 수의사 국가시험에 대응할 필요성이 부각됩니다.

활동현황

젊은수의사, 크브레(KVLE), 베트원

젊은수의사, 크브레(KVLE), 베트원은 수의미래연구소에서 상시적으로 운영하고 있는 프로젝트입니다.
젊은수의사는 젊은 세대 수의사 및 수의대생과 소통하는 창구의 역할을 담당합니다.
크브레(KVLE)는 수의사 국가시험에 대한 정책적이고 내용적인 연구를 진행합니다.
베트원은 수의사와 수의사를 잇는다는 의미를 가졌으며 외국 동물의료체계 및 정책을 분석하거나 국내 동물의료 이슈를 뉴스레터 형태로 배포하는 등의 사업을 진행하고 있습니다.

동물의료계 정책자료 아카이빙

수의미래연구소에서는 정보공개청구, 휴민트 등 다양한 방법을 활용하여 중요하지만 누구도 신경쓰거나 조사하지 않았던 자료를 아카이빙 및 공개하고 있습니다.

예시)
대학동물병원의 일 평균 환자수와 연매출 및 의료진 구성
국내 수의과대학 신입생 기본정보
수의사 국가시험 법규 과목 출제 범위 등

동물의료계 정책 제안

수의미래연구소는 동물의료계가 더 나은 곳이 될 수 있도록 현재의 정책, 사회적 문제점을 파악하고, 수의사 국가시험 문항 공개, 보건부 독립 지지 및 수의사 주무부처 이동 등 정책을 개발하여 대내외적으로 행동합니다.

시험 FAQ

2. 합격 기준과 시험 시간은 어떻게 되나요?

교시	시험과목(문제수)	시험시간
1	기초수의학 (100개)	100분
2	예방수의학 (100개)	100분
3	임상수의학 I (75개)	75분
4	임상수의학 II (55개) / 수의법규 · 축산학 (20개)	75분

전 과목 **총점의 60% 이상, 매 과목 40% 이상 득점**해야 합격할 수 있습니다.
즉, 기초수의학(100) / 예방수의학(100) / 임상수의학(130) / 수의법규·축산학(20)을
40 / 40 / 52 / 8 문제 이상 맞혀야 하며, **총 210점** (문제당 1점)이상 획득해야 합니다.
* 4교시에는 임상수의학 II 55개의 문제와 수의법규 ·축산학 20개의 문제 총 75문제를 모두
  푸셔야 합니다.
* 기타 시험에 관한 세부내용은 '농림축산검역본부 홈페이지 → 정보공개 → 수의사국가시험'
  으로 들어가셔서 확인하시길 바랍니다.

3. 각 교과목별 문항 수는 어떻게 구성되나요?

기초수의학			예방수의학			임상수의학			수의법규·축산학		
	수의해부학	36		수의미생물학	30		수의내과학	50		수의법규	20
	수의조직학			수의전염병학			수의임상병리학				
	수의생리학	20		조류질병학	8		수의외과학	50			
	수의생화학	14		수생동물질병학	5		수의방사선학			축산일반	
	수의약리학	30		수의기생충학	9		수의산과학	30			
	수의독성학			수의병리학	20						
				수의공중보건학	20						
				수의실험동물학	8						

* 휴민트를 통해 얻은 대략적인 수의사 국가시험 교과목별 출제 문항 수 입니다.
  농림축산식품부 검역본부에 문의해본 결과 교과목별 문항 수는 공개할 수 없다고 합니다.
  매년 출제되는 과목별 문제 수는 변동이 있으니 참고만 하시길 바랍니다.

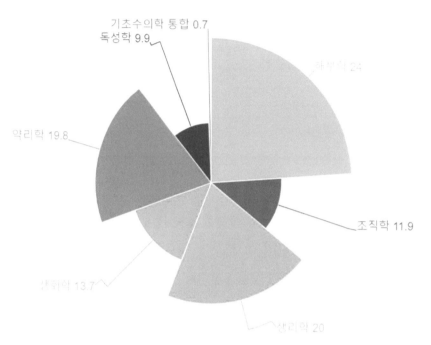

기초수의학 통합 0.7
독성학 9.9
약리학 19.8
해부학 24
조직학 11.9
생화학 13.7
생리학 20

기초수의학 - 100문항
2014 ~ 2023 수의사 국가시험 과목 별 평균 출제 문항 수

수의미래연구소
VETERINARY FUTURE INSTITUTE

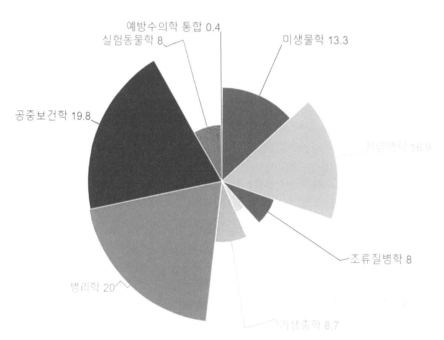

예방수의학 통합 0.4
실험동물학 8
미생물학 13.3
공중보건학 19.8
전염병학 16.9
조류질병학 8
병리학 20
기생충학 8.7

예방수의학 - 100문항
2014 ~ 2023 수의사 국가시험 과목 별 평균 출제 문항 수

수의미래연구소
VETERINARY FUTURE INSTITUTE

시 험 분 석

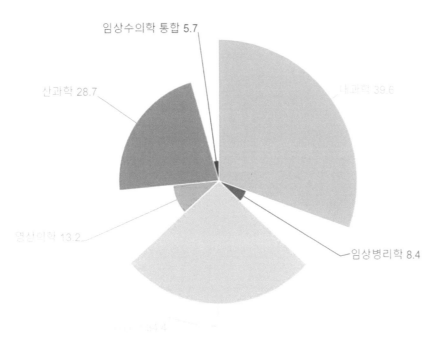

임상수의학 통합 5.7
산과학 28.7
내과학 39.6
임상병리학 8.4
영상의학 13.2

임상수의학 - 130문항
2014 ~ 2023 수의사 국가시험 과목 별 평균 출제 문항 수

수의미래연구소
VETERINARY FUTURE INSTITUTE

수의사 국가시험에서
임상 과목의 비율은

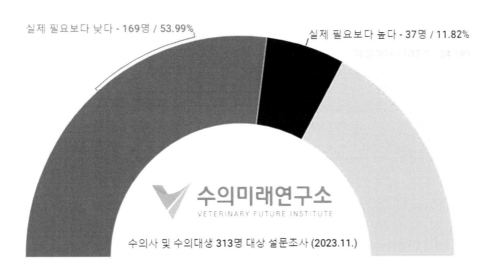

실제 필요보다 낮다 - 169명 / 53.99%   실제 필요보다 높다 - 37명 / 11.82%

수의미래연구소
VETERINARY FUTURE INSTITUTE

수의사 및 수의대생 313명 대상 설문조사 (2023.11.)

1. 다음 그림은 동물의 단면과 방향을 표시한 것이다. 그림과 보기의 명칭이 일치하지 <u>않는</u> 것은?

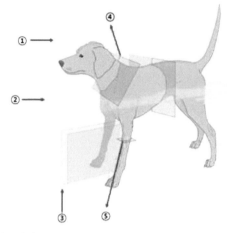

① 정중 단면(Median plane)
② 등 단면(Dorsal plane)
③ 시상 단면(Sagittal plane)
④ 가로 단면(Transverse plane)
⑤ 배 단면(Ventral plane)

2. 다음 중 뼈(bones)에 대한 설명으로 옳지 <u>않는</u> 것은?
① 골격조직 대부분을 차지하는 뼈는 부수적으로 칼슘, 인 등을 저장함으로써 무기질 '항상성을 유지하는 역할을 한다.
② 뼈는 풍부한 혈액공급을 받으며 그 양은 일반적으로 심장 박출량의 5~10% 정도 된다.
③ 뼈에 분포하는 신경은 큰 혈관과 함께 주행한다.
④ 뼈의 돌출 부분들은 오목(fossa)이나 고랑(groove)등의 명칭을 가진다.
⑤ 뼈는 모양에 따라 긴뼈(long bones), 짧은뼈(short bones), 납작뼈(flat bones) 등으로 분류한다.

3. 다음 중 다리 뼈대에 대한 설명으로 옳지 <u>않는</u> 것은?
① 앞다리이음뼈(thorocic girdle)에는 어깨뼈(scapula)와 빗장뼈(clavicle)이 있다.
② 앞다리의 상완과 전완을 구성하는 뼈는 상완뼈(humerus), 노뼈(radius), 자뼈(ulna)가 있다.
③ 앞발(forepaw)을 구성하는 뼈로는 앞발목뼈(carpal bones)와 앞발허리뼈(metacarpal bones) 등이 있다.
④ 뒷다리이음뼈(pelvic girdle)인 엉덩뼈(ilium), 궁둥뼈(ischium), 두덩뼈(pubis) 등은 뒷다리(hindlimb)를 구성하는 뼈대에는 포함되지 않는다.
⑤ 뒷발목뼈(tarsal bones)은 개에서 일반적으로 7개가 존재한다.

4. 다음은 개의 어깨뼈(scapula)를 나타낸 그림이다. 그림과 보기의 명칭이 일치하지 <u>않는</u> 것은?

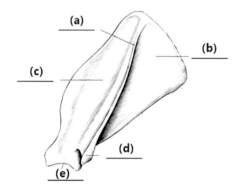

① (a)는 등쪽모서리(dorsal border)이다.
② (b)는 가시아래오목(infraspinous fossa)이다.
③ (c)는 가시위오목(supraspinous fossa)이다.
④ (d)는 봉우리(acromion)이다.
⑤ (e)는 접시오목(glenoid cavity)이다.

5. 뒷다리 관절 굽힘면(flexor surface)가 <u>옳지 않게</u> 표시된 곳은?

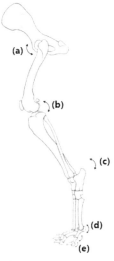

① (a) - 엉덩관절(hip joint)
② (b) - 무릎관절(stifle joint)
③ (c) - 뒷발목관절(tarsal joints)
④ (d) - 발가락관절(digital joints)
⑤ (e) - 발가락관절(digital joints)

6. 다음 중 개의 앞다리 근육과 관련된 설명으로 옳지 않은 것은?

① 어깨세모근(deltoideus muscle)은 어깨를 가로지르면서 합쳐져 함께 작용하는 어깨부분(scapular part)과 봉우리부분(acromial part)로 되어있다.
② 가시아래근(infraspinatus muscle)은 근육이 수축했을 때 어깨관절 펴짐 정도나 위치에 따라 어깨관절을 펴거나 굽힌다.
③ 상완두갈래근(biceps brachii muscle)은 노뼈(radius) 거친면과 자뼈(ulna)에 닿는다.
④ 상완세갈래근(triceps brachii muscle)은 개에서 세 갈래로 되어 있다.
⑤ 앞다리굽이근(anconeus muscle)은 앞다리굽이관절을 펴는 작용을 한다.

7. 다음 중 척주(vertebral column) 뼈와 관련된 설명으로 옳지 <u>않은</u> 것은?

① 개는 일반적으로 7개의 목뼈(cervical vertebrae)를 가진다.
② 개는 일반적으로 13개의 등뼈(thoracic vertebrae)를 가진다.
③ 개는 일반적으로 7개의 허리뼈(lumbar vertebrae)를 가진다.
④ 개는 일반적으로 3개의 엉치척추뼈(sacral vertebrae)를 가진다.
⑤ 개는 꼬리뼈(caudal vertebrae)는 개체에 따라 다른 척주들에 비해 숫자의 다양성이 적은 편이다.

8. 다음 중 옳지 <u>않은</u> 것은?

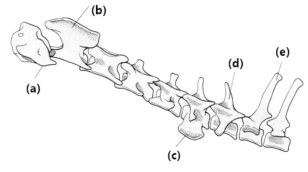

① (a)는 고리뼈(atlas)이다.
② (b)는 중쇠뼈(axis)이다.
③ (c)는 6번째 목뼈(cervical vertebrae)의 가로돌기(transverse process)이다.
④ (d)는 7번째 목뼈(cervical vertebrae)이며 가로돌기구멍(transverse foramen)이 양쪽으로 존재한다.
⑤ (e)는 1번째 등뼈(thoracic vertebrae)이다.

9. 다음 그림은 개의 등뼈를 나타낸 것이다. 그림과 보기의 명칭이 일치하지 않는 것은?

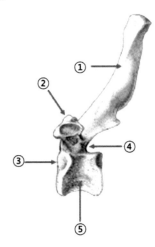

① 가시돌기(Spinous process)
② 가로돌기(Transverse process)
③ 앞갈비오목(Cranial costal fovea)
④ 뒤척추패임(Caudal vertebral notch)
⑤ 몸통(Body)

10. 다음 중 개에서 갈비뼈(rib)와 복장뼈(sternum)에 관련된 설명으로 옳지 않은 것은?
① 갈비뼈는 13쌍이 존재하며 등쪽의 뼈 부분, 배쪽의 연골부분을 가지고 있다.
② 처음 9쌍의 갈비뼈는 복장뼈와 직접 관절을 이룬다.
③ 10번째와 11번째 갈비연골은 서로 합쳐져 갈비활(costal arch)를 이루며 12번째와 13번째 갈비뼈는 허구리(flank)에서 대부분 독립적으로 끝난다.
④ 복장뼈는 9개의 분절로 이루어져 있다.
⑤ 마지막 복장뼈분절을 칼돌기(xiphiod process)라고 한다.

11. 다음은 목의 배쪽면을 나타낸 모식도이다. 그림과 보기의 명칭이 일치하지 않는 것은?

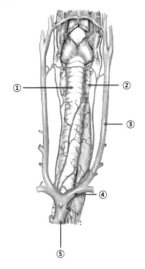

① 식도(Esophagus)
② 갑상샘(Thyroid gland)
③ 바깥목정맥(External jugular v.)
④ 상완머리정맥(Brachiocephalic v.)
⑤ 앞대정맥(Cranial vena cava)

12. 다음은 복강의 왼쪽면을 나타낸 모식도이다. 그림과 보기의 명칭이 일치하지 않는 것은?

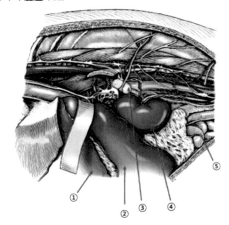

① 간 (Liver)
② 지라 (비장, Spleen)
③ 부신 (Adrenal gland)
④ 콩팥 (신장, Kidney)
⑤ 교통가지 (Ramus communicans)

13. 개의 치아와 관련된 설명으로 옳지 <u>않은</u> 것은?

① 아랫니 중 앞니(incisor teeth)는 앞니뼈(incisive bone)에 박혀있다.

② 영구치아는 일반적으로 42개를 가진다.

③ 영구치아의 윗니 치아식은 앞니(incisor teeth) 3개, 송곳니(canine teeth) 1개, 작은어금니(premolar teeth) 4개, 큰어금니(molar teeth) 2개로 좌우 양측 윗니는 총 20개가 존재한다.

④ 영구치아의 아랫니 치아식은 앞니(incisor teeth) 3개, 송곳니(canine teeth) 1개, 작은어금니(premolar teeth) 4개, 큰어금니(molar teeth) 3개로 좌우 양측 윗니는 총 22개가 존재한다.

⑤ 탈락치아(젖니)는 총 28개가 존재하며 생후 4주에서 8주 사이에 빠진다.

14. 다음은 개의 안구를 나타낸 모식도이다. 그림의 숫자에 해당하는 해부 구조에 대한 설명으로 옳지 <u>않은</u> 것은?

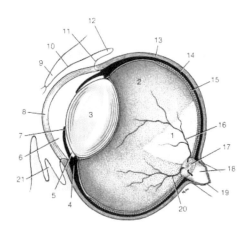

① (1)은 반사판(tapetum lucidum)이다.

② (3)은 수정체(lens)이다.

③ (7)은 원형으로 배열한 민무늬근육과 방사상으로 배열한 민무늬근육을 가지고 있고 색소가 침착된 가로막으로서 안구앞방(anterior chamber)과 안구뒷방(posterior chamber)을 나누는 역할을 한다.

④ (8)은 각막(cornea)이며 투명하다.

⑤ (13)은 망막(retina)이다.

15. 다음은 개의 뇌를 나타낸 모식도이다. 그림의 로마 숫자에 해당하는 뇌신경에 대한 설명으로 옳지 <u>않은</u> 것은?

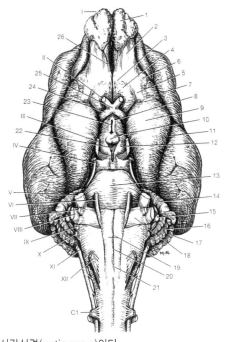

① (II)는 시각신경(optic nerve)이다.

② (V)는 삼차신경(trigeminal nerve)이다.

③ (VI)는 눈돌림신경(oculomotor nerve)이다.

④ (VII)는 얼굴신경(facial nerve)이다.

⑤ (X)는 미주신경(vagus nerve)이다.

16. 다음 중 개의 뇌에 대한 설명으로 옳지 <u>않은</u> 것은?

① 뇌줄기(brain stem)는 숨뇌(연수), 다리뇌(배쪽 뒤뇌), 중간뇌, 사이뇌(시상상부, 시상, 시상하부)로 이뤄진다.

② 대뇌반구에는 안쪽을 향한 주름인 이랑(gyrus)와 바깥쪽을 향한 주름인 고랑(sulci)가 존재한다.

③ 맥락얼기(choroid plexus)는 연질막, 혈관, 뇌실막으로 구성된 치밀한 덩어리이다.

④ 대뇌겉질을 계통발생학적으로 옛겉질(paleopallium), 새겉질(neopallium), 원시겉질(archipallium)으로 나뉜다.

⑤ 해마(hippocampus)는 원시겉질에 속한다.

17. 다음은 사이뇌와 대뇌반구의 가로단면을 나타낸 사진이다. 사진에서 가리키는 A, B는 각각 무엇인가?

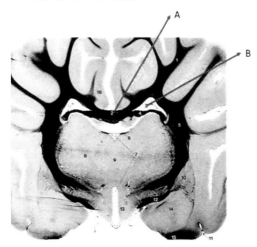

	A	B
①	뇌들보(corpus callosum)	가쪽뇌실(lateral ventricle)
②	셋째뇌실(3rd ventricle)	속섬유막(internal capsule)
③	시상(thalamus)	렌즈핵(lentiform nucleus)
④	시각로(optic tract)	조롱박엽(piriform lobe)
⑤	편도체(amygdala)	가쪽뇌실(lateral ventricle)

18. 신경두개(neurocranium; brain case)의 벽 구성에 관여하지 <u>않은</u> 뼈는?

① 서골(vomer)
② 전두골(frontal bone)
③ 두정골(parietal bone)
④ 측두골(temporal bone)
⑤ 접형골(sphenoid bone)

19. 태아 시기에 대동맥과 폐동맥 사이를 흐르는 혈관이었으나, 출생 후에는 혈액이 흐르지 않고 결합조직으로 남아있는 구조물은?

① 동맥관 인대(ligament arteriosum)
② 원인대(round ligament)
③ 낫인대(falciform ligament)
④ 정맥관(ductus venosus)
⑤ 타원오목(fossa ovalis)

20. 다음은 발생(발달) 중의 소의 위에 해당하는 그림이다. 그림의 숫자에 해당하는 해부 구조에 대한 설명으로 옳지 <u>않은</u> 것은?

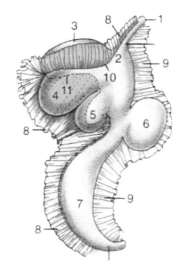

① (1)은 식도(esophagus)이다.
② (2)는 구조와 기능면에서 다른 많은 동물의 단위(simple stomach)에 해당한다.
③ (5)는 제2위(reticulum)이다.
④ (6)은 제3위(omasum)이다.
⑤ (7)은 제4위(abomasum)이다.

21. 다음은 어떤 동물의 난소를 나타낸 사진인가?

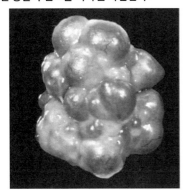

① 개
② 고양이
③ 말
④ 소
⑤ 돼지

22. 조류의 배설강(cloaca)에 대한 설명으로 옳지 않은 것은?

① 배설강은 소화기계통과 비뇨생식기계의 공통 구조이다.
② 항문출구(vent)를 통해 몸 바깥과 연결된다.
③ 체내에서 체외 순서로 볼 때 요동(urodeum), 분동(coprodeum), 항문동(proctodeum)으로 나뉜다.
④ 분동(coprodeum)은 잘록곧창자의 팽대된 연속 구소물로 분변을 저장한다.
⑤ 항문동 등쪽면에는 배설강 주머니(cloacal bursa)로 연결되는 구멍이 있으며, 배설강주머니는 B림프구가 분화하는 곳으로 흉선과 유사한 면역 기능을 하는 림프조직이다.

23. 배아 발달 과정에서 척삭(notochord)은 척추 골격 형성에서 중추적인 역할을 한다. 다양한 배아 층(layer)과 이후의 분화 사이의 복잡한 관계를 고려할 때, 다음 중 올바른 것은?

① 외배엽에서 발생하는 척삭은 외배엽이 두꺼워지고 신경판을 형성하도록 신호를 보낸다.
② 척삭은 전체적으로 척수로 분화되는 일시적인 구조다.
③ 내배엽 세포는 주로 피부 및 신경계와 같은 구조를 생성하는 반면, 외배엽 세포는 장 내벽을 형성한다.
④ 외배엽세포는 내배엽세포로 분화할 수 있으며 이것의 역도 성립한다.
⑤ 척삭은 중배엽에서 유래하며 일부는 개와 고양이에서 추간판의 수핵(nucleus pulposus)로 남아있다.

24. 태아 발달 과정에서 신체에서 탈산소화된(deoxygenated) 혈액을 폐를 우회하여 전신 순환으로 직접 운반하는 데 필수적이지만 출생 후에는 결합조직으로 남아있는 구조물은 다음 중 어느 것인가?

① 제대 동맥 (Umbilical a.)
② 정맥관 (Ductus venosus)
③ 동맥관 (Ductus arteriosus)
④ 석회질 인대 (Calciform lig.)
⑤ 타원구멍 (Foramen ovale)

25. (A)는 어떤 세포인가?

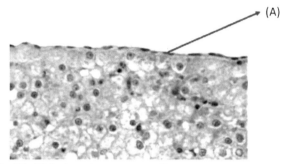

① 단층편평세포(Simple squamous cell)
② 단층입방세포(Simple cuboidal cell)
③ 단층원주세포(Simple columnar cell)
④ 거짓중층원주세포(Pseudostratified columnar cell)
⑤ 이행세포(Transitional cell)

27. 다음 사진에 대한 설명으로 가장 옳은 것은?

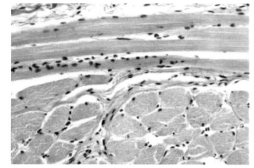

① 혈액이 흐르는 공간이다.
② 의식적인 운동을 할 수 있게 한다.
③ 영양을 흡수하는 조직이다.
④ 요소 해독작용이 일어난다.
⑤ 여과 기능이 있는 조직이다.

26. 개의 혈액을 Giemsa 염색을 한 도말 사진이다. (A)는 무엇인가?

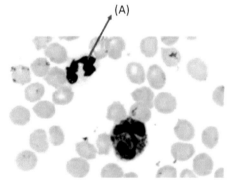

① 혈소판
② 호산구
③ 호염기구
④ 호중구
⑤ 림프구

28. 신경조직에 존재하는 (A)는 무엇인가?

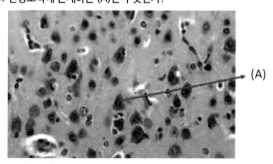

① Blood vessel
② Bone matrix
③ Mesothelium cell
④ Purkinje cell
⑤ Pyramidal cell

29. 그림의 오른쪽과 왼쪽으로 각각 다른 혈관을 나타낸 조직 사진이다. (A)에 대한 설명으로 가장 옳은 것은?

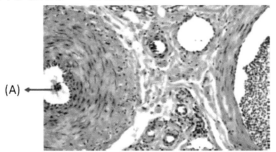

① 혈액의 역류를 방지하기 위해 판막이 존재한다.
② 혈관을 둘러쌓고 있는 근육층이 비교적 얇거나 없다.
③ 비교적 산소 농도가 높은 혈액이 흐른다.
④ 혈액 저장량이 많다.
⑤ 혈류 속도가 가장 느리다.

31. 피부층에 많이 존재하는 (A)는 무엇인가?

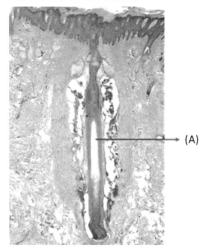

① 털
② 림프관
③ 모세혈관
④ 암죽관
⑤ 땀샘

30. 다음은 어떤 장기를 나타낸 것인가?

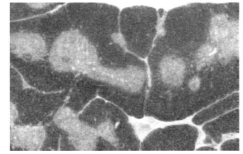

① 가슴샘
② 비장
③ 갑상샘
④ 간
⑤ 부고환

32. 다음 구조물을 관찰할 수 있는 장기는?

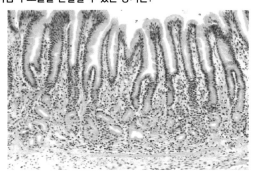

① 대뇌
② 심장
③ 난소
④ 위
⑤ 이자

33. 다음 그림처럼 Hyaline cartilage를 많이 보유하고 있는 장기는?

① 안구
② 기관
③ 입술
④ 발톱
⑤ 식도

34. 다음 조직 사진은 어떤 내분비 기관인가?

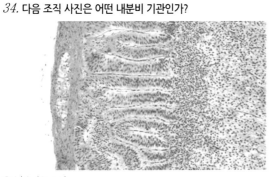

① 난소 (Ovary)
② 정소(Testis)
③ 신장 (Kidney)
④ 부신 (Adrenal gland)
⑤ 가슴샘 (Thymus)

35. 다음은 고양이 간 조직 사진이다. 그림에 표시된 A는 무엇인가?

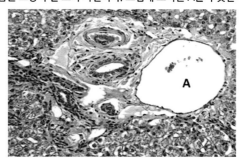

① Portal vein
② Bile canaliculus
③ Central vein
④ Hepatic artery
⑤ Sinusoid

36. 다음 조직 사진은 고양이의 어떤 부위인가?

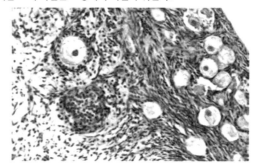

① 뼈 (Bone)
② 난소 (Ovary)
③ 난관팽대 (Ampulla)
④ 난관 (Uterine Tube)
⑤ 자궁뿔 (Uterine Horn)

37. 다음 중 혈액에 대한 설명으로 옳지 않은 것은?

① 혈액은 세포성분인 혈구(blood corpuscle)와 액체 성분인 혈장 (plasma)으로 구성되어 있다.

② 혈장 성분의 약 90%는 물로 이루어져 있다.

③ 혈병은 혈장 중 섬유소원이 섬유소로 전환되어 혈구와 엉켜진 것이다.

④ 혈장은 혈액이 응고한 후의 액상 부분이며 혈청은 응고가 일어나기 전의 액상 부분이다.

⑤ 혈구는 적혈구(erythrocyte), 백혈과(leukocyte) 그리고 혈소판 (thrombocyte)로 나뉜다.

38. 다음 중 혈소판의 기능으로 옳지 않은 것은?

① 점착성에 집합성에 의한 지혈 작용

② 손상 부위 국소혈관 수축 작용

③ 혈액 응고 촉진 작용

④ 혈병 퇴축 작용

⑤ 섬유소 용해 촉진 작용

39. 다음 중 동물의 혈액형에 대한 설명으로 옳지 않은 것은?

① 말, 돼지, 닭의 혈구는 항체를 가해도 응집이 뚜렷하지 않으므로 용혈 반응이 응집반응에 비해 혈액형 구분 시 자주 이용된다.

② 소의 혈액형은 12종으로 분류되며 약 80가지의 혈액형 인자가 검출 된다.

③ 개의 경우 12개 이상의 혈액형이 알려져있다.

④ 말의 혈액형은 7종 20가지의 혈액형 인자가 검출된다.

⑤ 돼의 혈액형은 15종 약 39가지의 혈액형 인자가 검출된다.

40. 다음 중 심장 및 심근에 대한 설명으로 옳지 않은 것은?

① 심장(심근)에 혈액을 공급하는 동맥을 관상동맥(coronary artery)라 고 한다.

② 심근은 자동성의 성질을 지니기에 반복하여 스스로 흥분, 수축한다.

③ 심근의 흥분은 세포에서 세포로 전달된다.

④ 심방과 심실 사이의 gap junction을 통해 흥분이 전파한다.

⑤ 심실에는 미주신경과 지방조직은 적으나 혈관이 많이 존재한다.

41. 개의 심전도(elctrocardiogram)와 관련된 설명으로 옳지 않은 것은?

① 심전도란 심장이 박동할 때 심장에서 발생하는 활동 전압을 신체 표면에서 포착한 것을 말한다.

② 심전도는 임상적으로 부정맥, 심부전, 심장 기능 관찰 등에 활용된다.

③ 표준사지 유도법에서는 일반적으로 좌우 앞다리와 오른쪽 뒷다리에 전극을 연결한다.

④ 표준사지 유도법에서 제1유도는 심방의 이상 측정이 가능하다.

⑤ 표준사지 유도법에서 제2유도를 통해 심장의 전자기장 방향과 관련된 정보의 수집이 가능하다.

42. 다음 심장 주기와 관련된 다음의 자료를 해석한 것으로 가장 옳지 않은 것은?

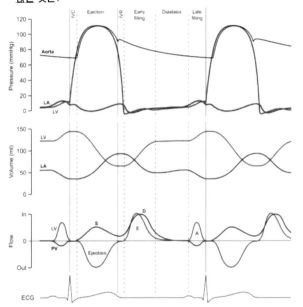

① 심박동은 크게 수축기(systole)와 확장기(diastole)로 구분된다.

② 좌우 심실이 거의 동시에 수축하게 되고 0.1~0.2초 뒤에 좌우 심방이 수축하며 이를 반복한다.

③ 심실 수축으로 심실 내 압력이 계속 증가하여 대동맥과 폐동맥 내의 압력보다 높아지면 대동맥 판막과 폐동맥 판막이 열리면서 심실에 있던 혈액이 동맥내로 빠르게 분출된다.

④ 대동맥 판막과 이첨판이 동시에 닫혀있는 구간이 발생할 수 있다.

⑤ ECG에서 QRS파가 발생할 때 방실판이 닫힌다.

43. 다음 중 동물의 혈압과 관련된 설명으로 옳지 않은 것은?

① 심실수축기에 나타나는 혈압의 가장 높은 값을 수축기 혈압 또는 최고 혈압이라고 한다.

② 심실수축기에 나타나는 혈압의 가장 낮은 값을 이완기 혈압 또는 최저 혈압이라고 한다.

③ 수축기 혈압과 이완기 혈압의 차이를 맥압(pulse pressure)이라고 한다.

④ 일반적으로 평균혈압(mean pressure)은 수축기 혈압과 이완기 혈압의 산술 평균치 보다 높다.

⑤ 평균혈압(mean pressure)은 수축기 혈압과 이완기 혈압의 산술 평균치가 아니라 시간적 평균치를 의미한다.

44. 다음 중 림프계에 대한 설명으로 옳지 않은 것은?

① 림프계는 혈액 순환의 일부를 담당하는 부수 순환계라고 볼 수 있다.

② 간질액의 일부는 림프계(lymphatic system)로 들어가서 림프(lymph)가 된다.

③ 림프관의 구조는 정맥과 흡사하나 벽의 두께는 현저하게 얇다.

④ 림프는 단백질 등 대부분의 성분에서 혈장과 크게 차이가 나지 않는다.

⑤ 림프절은 이물의 정화작용이나 림프구 생산을 담당한다.

45. 다음 중 혈액에서 가스 운반에 대한 내용으로 옳지 않은 것은?

① 가장 많은 형태로 운반되는 탄산가스는 HCO_3^- 이다.

② 산소는 헤모글로빈의 Fe^{3+}와 결합하여 전신으로 순환된다.

③ pH가 증가하면 산소해리곡선은 좌상방으로 이동한다.

④ 폐포 내 산소 분압보다 대기의 산소 분압이 더 높다.

⑤ Hb는 Mb보다 산소와의 결합력이 낮다.

46. 다음 중 폐 용적에 대한 설명으로 옳지 않은 것은?

① 총 폐용량은 폐활량과 잔기용적을 합한 값이다.

② 잔기용적은 최대 호기 후 폐의 용적을 뜻한다.

③ 기능적 잔기량은 잔기용적과 호식 예비용적의 합이다.

④ 폐활량은 최대 흡기 후 최대한 뱉을 수 있는 공기 양으로 흡식 예비용적, 1회 호흡용적, 잔기용적을 합한 값이다.

⑤ 폐활량은 최대 흡기 이후 최대한 뱉을 수 있는 공기량으로 계산할 수 있다.

47. 다음 중 위액 분비에 대한 설명으로 옳지 않은 것은?

① 위를 보호하는 점액 감소는 위궤양의 원인이 되기도 한다.

② 뇌상(Cephalic phase)은 먹이가 위에 들어가기 전에 위액이 분비되는 시기이다.

③ 내재성 인자가 분비되지 않으면 비타민 B_{12}의 능동적 흡수가 되지않아 악성빈혈이 유발될 수 있다.

④ 위상(Gastric phase)은 먹이가 식도에서 위 내에 들어가면서 위액의 분비가 항진되는 작용이며 위액 분비의 50%를 조절한다.

⑤ 펩시노겐은 벽세포에서, HCl는 주세포에서 생성된다.

48. 다음 중 소화관의 운동과 분비에 대한 설명으로 옳지 않은 것은?

① 식도의 1차 연동 운동은 입 안의 음식물 존재여부와 관계없이 일어난다.

② 위의 기능은 섭취된 음식물을 저장, 혼합하고 단백질과 탄수화물의 소화를 시작하는 것이다.

③ 구토는 평활근을 지배하는 자율신경과 체성신경의 중추신경에 의하여 조절된다.

④ 위의 이완 작용은 신경에 의해 매개되며 수용성 이완(receptive relaxation), 적응성 이완(adaptive relazation), 되먹임 이완(feedback relaxation) 등으로 구분할 수 있다.

⑤ 직장이 팽창되면 직장항문반사(rectoanal reflex)에 의해 내측 조임근이 이완되고, 직장 내용물이 항문관 표면에 분포한 수용체들과 접촉하게 되어 배변 또는 방귀의 충동이 유발된다.

49. 다음 중 동물의 대사량과 관련된 설명으로 옳지 않은 것은?

① 기초대사량은 동일 조건의 경우 어린 동물이 성숙 동물에 비해 상대적으로 높다.

② 단위 체중 당 대사량은 소동물이 대동물에 비해 상대적으로 높다.

③ 동물이 사료를 섭취한 후 소화, 흡수 및 저장하는 과정 동안에는 상대적으로 대사량이 감소한다.

④ 환경온도는 대사량에 영향을 줄 수 있다.

⑤ 대사량을 측정하는 방법 중 간접 열량계법(indirect calorimetry)는 에너지 사용에 따른 발열량보다는 시간당 소비하는 산소와 생성하는 이산화탄소량을 측정하여 호흡상을 얻어 대사량을 구한다.

50. 다음 중 체온에 대한 설명으로 옳지 않은 것은?

① 개의 발바닥에는 역류열교환 기능이 있어서 정맥혈액의 온도는 몸의 심부 쪽으로 흘러갈수록 올라가게된다.

② 저체온이 되면 산소 소비량, 심박수, 혈액 점도는 낮아진다.

③ 체온을 일정하게 조절하는 부위는 간뇌의 시상하부이다.

④ 격심한 운동은 고체온의 원인이 되기도 한다.

⑤ 체열의 총생산량을 비율로 보면 양적으로 골격근에서 열생산이 가장 많이 일어난다.

51. 다음 중 체액의 전해질에 대한 설명으로 옳지 않는 것은?

① 나트륨(sodium)은 세포외액에 가장 많이 함유되어 있는 이온으로 세포외액량이나 세포외액의 삼투압 조절과 직결된다.

② 체내에 있는 나트륨(sodium) 이온은 대부분 세포 내액에 존재한다.

③ 칼륨(potassium)은 세포내액에서 양적으로 가장 많은 양이온이다.

④ 염소(chloride) 이온은 나트륨 이온의 양과 밀접한 상관 관계를 가지고 있으며 나트륨 이온 함량에 비례하여 변화한다.

⑤ 칼슘(calcium) 이온은 근육 수축, 혈액 응고, 효소 활동도, 신경의 흥분성, 호르몬의 분비, 막투과성 등 생체내에서 중요한 역할을 한다.

52. 다음 중 신장 및 사구체 역할과 신장 기능에 대한 설명으로 옳지 않는 것은?

① 사구체 여과액에는 혈구가 없고 극소량의 단백질만 존재하며 다른 분자들의 농도는 혈장과 거의 유사하다.

② 사구체 압력이 증가할수록 사구체 여과율(glomerular filtration rate, GFR)은 증가한다.

③ 혈장 교질 삼투압이나 보우만 주머니 내압이 증가할수록 사구체 여과율(glomerular filtration rate, GFR)은 증가한다.

④ 사구체 여과율(glomerular filtration rate, GFR)은 사구체 모세혈관의 혈류 속도에 비례하여 증가한다.

⑤ 크레아티닌(creatinine)은 개, 소, 양 등에서 사구체 여과율(glomerular filtration rate, GFR)을 측정하는 수단으로 사용되어 오고 있다.

53. 다음은 자료가 나타내는 근육과 관련된 설명으로 옳지 **않은** 것은?

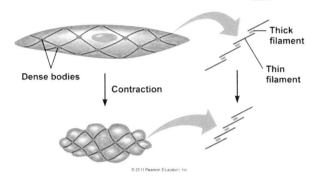

① 해당 근육은 A대(anisotropic band)와 I대(isotropic band)를 가진다.
② 수축을 통해 장기의 형태나 도관의 내경을 변화시킨다.
③ 해당 근육의 활동 전압은 칼슘 이온의 유입에 의해 발생한다.
④ 신체의 움직임이나 자세 유지를 담당하는 근육에 비해 상대적으로 액틴의 비율이 높다.
⑤ 횡문(cross striation)이 없어 밋밋한 모양을 가지고 있다.

54. 자율신경계 자극에 대한 각 장기의 반응으로 옳지 **않은** 것은?

① 부교감신경 자극으로 동공이 수축한다.
② 부교감신경 자극으로 소화기의 분비 기능이 증가한다.
③ 부교감신경 자극으로 방광의 확장근은 이완한다.
④ 교감신경 자극으로 심박수가 증가한다.
⑤ 교감신경 자극으로 간에서 당 신생이 촉진된다.

55. 다음은 동물의 시냅스를 나타낸 모식도이다. 다음 중 관련된 설명으로 옳지 **않은** 것은?

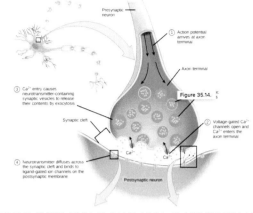

① 포유류의 화학적 시냅스의 흥분은 시냅스 전 신경세포에서 시냅스 후 신경세포로 전달되지만 그 반대로는 전달되지 않는다.
② 조류의 전기적 시냅스의 흥분은 시냅스 전 신경세포에서 시냅스 후 신경세포로 전달되지만 그 반대로는 전달되지 않는다.
③ 역치에 미치지 못한 약한 자극이라도 시냅스 전 신경세포에서 여러 자극이 짧은 시간 내에 가해지면 흥분이 중첩되어 시냅스 후 신경세포로 신호가 전달된다.
④ 전기적 시냅스는 무척추동물이나 어류에서 주로 존재한다.
⑤ 신경 전달 물질에는 에피네프린, 도파민, 세로토닌, 히스타민 등이 있다.

56. 다음은 뇌척수액(cerebrospinal fluid, CSF)의 생성 및 흐름과 관련된 그림이다. 다음 중 옳지 **않는** 것은?

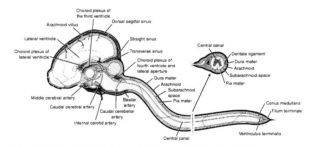

① 뇌척수액은 맥락막총(choroid plexuses)에서 생성된다.
② 뇌척수액은 뇌에 전해지는 물리적 충격을 완화하는 기능을 가진다.
③ 뇌척수액은 동맥계로 재흡수 된다.
④ 뇌척수액은 뇌와 비중이 비슷하기 때문에 뇌는 뇌척수액에 떠있는 상태이다.
⑤ 뇌척수액의 흐름 폐쇄는 뇌수두증(hydrocephalus)의 중요한 원인이다.

57. 다음 중 글리코겐(Glycogen) 대사에 대하여 옳지 않은 설명은?

① 글루카곤과 에피네프린은 세포막에 있는 receptor에 결합하여 반응한다.
② 글리코겐 분해과정에서 PKA가 비활성화 된다.
③ 글리코겐은 분해과정에서 Glucose-1-phosphate가 생성된다.
④ 에피네프린에 의해 글리코겐의 합성이 감소되며 혈당이 증가한다.
⑤ 글리코겐 합성과정에서 UDP-glucose가 사용된다.

59. 다음 중 DNA와 RNA에 대한 설명 중 옳지 않은 것은?

① mRNA 편집과정에서 Splicing을 거쳐 exon과 exon을 이어준다.
② mRNA의 3' end에는 Poly A Tail이 존재한다.
③ 핵산의 유기염기는 A, C, G, T만이 존재한다.
④ 하나의 아미노산에 대해 여러 개의 codon이 해당될 수 있다.
⑤ 유전정보는 3개의 염기로 codon이라 불린다.

58. 다음 중 Glucose 대사 과정에 관한 설명으로 옳지 않은 것은?

① 해당과정으로 1 Glucose는 2 Pyruvate + 2NADH + 2ATP로 분해된다.
② 1 Pyruvate가 1 Acetyl-CoA가 될 때, 1개의 CO_2분자가 생성된다.
③ Pyruvate는 미토콘드리아 내로 들어가기 전 Acetyl-CoA로 변환된다.
④ TCA 회로에서의 Citrate는 매 회로 당 3 NADH, 1 $FADH_2$가 생성된다.
⑤ Glucose는 Glucokinase에 의해 Glucose 6-phosphate가 될 수 있다.

60. 다음 중 적혈구의 산소운반과 헤모글로빈 성질에 대하여 옳은 것은?

① pH가 낮아지면, 헤모글로빈과 산소 사이의 결합력이 낮아지는 현상을 Bohr Effect로 설명할 수 있다.
② 적혈구 아미노산 염기 서열 중 Val(6)이 Glu(6)으로 돌연변이가 일어나면 낫세포 빈혈증(Sickle cell anemia)이 유발될 수 있다.
③ 헤모글로빈은 2차 구조로 볼 수 있다.
④ 2, 3-BPG(2, 3-Bisphosphoglycerate)는 산소가 헤모글로빈으로 잘 결합되도록 촉진시키는 물질이다.
⑤ 체내 기체교환은 능동 수송에 의해 일어난다.

61. 다음 중 효소의 일반적인 특징에 대하여 옳지 <u>않은</u> 것은?

① 경쟁적 억제제가 존재하면 효소-기질 친화도는 감소한다.

② 고농도 기질 환경에서 경쟁적 억제자의 억제 효과는 극복 가능하다.

③ 효소는 기질을 전이상태(Transition State)로 만들 수 있다.

④ 효소-기질 결합 시, 효소의 활성 부위는 항상 변하지 않고 유지된다.

⑤ 효소는 반응에 필요한 활성화 에너지를 낮춰주는 역할을 한다.

62. 다음 중 산성을 띠는 아미노산은?

① 글리신

② 히스티딘

③ 아르기닌

④ 글루탐산

⑤ 리신

63. 다음 중 평형상태에 대한 설명으로 옳지 <u>않은</u> 것은?

① 평형상태에서 정반응과 역반응이 일정하게 일어나고 있다.

② 평형상수가 1 이상이라는 말은 정반응이 우세한 반응이라는 뜻이다.

③ 평형상수가 1 이하에서는 역반응만이 일어난다.

④ 평형상태에서 겉보기에는 변화가 일어나지 않는다.

⑤ 평형상수는 반응물과 생성물의 비율과 관련있다.

64. 격렬한 운동을 하거나, 산소가 원활히 공급되지 않을 때, 포도당은 Cori cycle 에 의해 대사되기도 한다. 이때 생성되는 대표적인 대사산물은?

① Fatty acid

② Lactate

③ O2

④ Glycogen

⑤ FADH2

65. 다음 중 젖당 오페론에 대한 설명으로 옳지 않은 것은?

5' | P₁ | lacI | O₃ | | P | O₁ | | lacZ | | O₂ | | lacY | lacA | 3'

① lac I는 regulatory gene이라고 불리며 repressor를 합성하는 기능이 있다.

② Repressor는 젖당과 결합할 수 있다.

③ 젖당이 없는 환경에서 Repressor는 operator에 결합한다.

④ 포도당이 적으며 젖당이 많고 cAMP가 높은 환경에서 오페론은 활발히 작동한다.

⑤ 포도당과 젖당이 같이 존재하는 환경에서 젖당을 먼저 소비한다.

66. 다음 중 동물의 세포질 내에서 일어나는 반응은?

① 시트르산 생성

② FADH2 생성

③ 전자전달계, 산화적 인산화 반응

④ 해당과정

⑤ 시트르산 회로

67. 다음 중 지방산에 대한 설명으로 옳은 것은?

① 지방산 구조 중 6번과 7번 탄소 사이에 이중결합이 있다는 것을 △6으로 표현할 수 있다.

② Arachidonic acid 20:4는 총 탄소수가 20개 이며, 4개의 산소 원자가 포함되어 있다는 뜻이다.

③ ω-6는 마지막 탄소로부터 6번째와 5번째 탄소 사이의 이중결합의 존재를 의미한다.

④ 불포화 지방산에는 탄소 이중결합이 없다.

⑤ 지방산이 합성될 때 한 번에 1개의 탄소씩 결합한다.

68. 다음 중 체내 pH에 대한 설명으로 옳지 않은 것은?

① 체내 pH를 일정하게 유지하는 여러 가지 메커니즘이 존재한다.

② DKA(Diabetic ketoacidosis)일 때 대사성 산증이 발생한다.

③ 저호흡일 경우 CO_2 배출이 많아짐으로 비닐봉지를 코와 입에 대고 호흡하는 응급처치가 필요하다.

④ 체내에는 혈액, 폐, 신장 등 여러 가지 완충계가 존재한다.

⑤ 혈액에서 HCO_3^-는 중요한 완충 역할을 한다.

69. 다음 중 물에 대한 설명으로 옳지 <u>않은</u> 것은?

① 우리 몸의 약 70%를 차지한다.

② 산소 원자와 수소 원자 사이에는 강력한 이온결합이 형성되어 있다.

③ 무극성 물질과 섞이기 위해서 계면활성제가 필요하다.

④ 물 분자 끼리 수소결합의 형성이 가능하다.

⑤ 소금이 물에 녹을 수 있는 이유는 물 분자가 이온을 수화시키기 때문이다.

70. 다음 중 진핵세포에서 일어나는 mRNA 편집과정에 대한 설명으로 옳지 <u>않은</u> 것은?

① mRNA의 3' end는 capping에 의해 보호된다.

② Exon과 exon을 이어주는 splicing 과정이 있다.

③ Intron은 단백질을 암호화하지 않는 염기쌍이다.

④ Poly A tail은 mRNA의 한 말단 부분을 보호하는 역할이 있다.

⑤ 편집과정이 끝난 mRNA가 번역 과정을 거치면 폴리펩타이드가 생산된다.

71. 다음 중 항생제가 작용하는 기전이 다른 한 가지 약물은 무엇인가?

① Erythromycin

② Gentamicin

③ Chloramphenicol

④ Lincosamide

⑤ Azithromycin

72. 〈보기〉의 설명에 해당되는 약물은?

> 〈보기〉
> 1. 합성 스테로이드
> 2. 단시간 작용하는 전신마취제
> 3. IV 또는 IM으로 주사 가능
> 4. GABA$_a$ receptor agonist

① Estrogen

② Isoflurane

③ Xylazine

④ Lidocaine

⑤ Alfaxalone

73. 항우울제 중 MAO-B를 선택적으로 억제하는 기전을 보이는 약물 (A)와 선택적 세로토닌 재흡수 저해제(SSRI) 기전을 보이는 약물(B)를 알맞게 짝지은 것은?

① A : Doxepin, B : Fluoxetine

② A : Doxepin, B : Selegiline

③ A : Selegiline, B : Doxepin

④ A : Selegiline, B : Megestrol acetate

⑤ A : Selegiline, B : Sertaline

74. 심부전 치료제로 Angiotensin 전환효소를 억제하는 약물은?

① Enalapril

② Verapamil

③ Furosemide

④ Diltiazem

⑤ Neostigmine

75. 〈보기〉와 같은 특징을 가진 항생제는 무엇인가?

〈보기〉
1. 50s ribosome에 결합하여 단백질 합성을 방해한다. 2. 재생불량성 빈혈을 일으킬 수 있다. 3. 식용동물에 사용을 금지해야한다. 4. 축산식품 검출 불가 목록에 포함되어 있다.

① Ampicillin

② Streptomycin

③ Macrolide

④ Cephalosporin

⑤ Chloramphenicol

76. Thymidine 유사체이며 고양이 FIV 치료제로 바이러스의 전사를 억제하는 항바이러스제는 무엇인가?

① Acyclovir

② Oseltamivir

③ Idoxuridine

④ Zidovudine

⑤ Remdesivir

77. Tubulin에 부착되어 방추사 형성을 억제하여 곰팡이 증식을 억제하는 항진균제는?

① Ketoconazole
② Amphotericin B
③ Flucytosine
④ Imidazole
⑤ Griseofulvin

78. 항기생충제로 Nicotinic receptor에 작용하며 수축성 마비를 유발하는 약물은?

① Albendazole
② Fenbendazole
③ Ivermectin
④ Levamisole
⑤ Piperazine

79. 약물에 대한 종간 차이에 대한 설명 중 옳지 <u>않은</u> 것은?

① Xylazine은 소에서 다른 동물종보다 약한 진정작용을 보인다.
② Morphine은 개보다 고양이에서 더 강력하게 작용한다.
③ Collie 종에는 p-glycoprotein이 결핍되어 있어 ivermectin을 사용하지 않는 것을 권장한다.
④ Aspirin에 대한 반감기는 개보다 고양이에서 길다.
⑤ 광범위하게 대사되는 약물은 가축 보다 랫드, 토끼 기니피그 등의 실험동물에서 반감기가 짧다.

80. Phenylephrine에 대한 설명으로 옳지 <u>않은</u> 것은?

① 혈관을 수축하게하여 혈압을 증가시킨다.
② α_2-수용체 작용제이다.
③ 주로 간에서 대사된다.
④ 코/기관지 막힘 완화제로 사용할 수 있다.
⑤ Reflex bradycardia와 같은 부작용이 발생할 수 있다.

81. 다음 약물은 구토와 관련있는 약물이다. 그 기전이 다른 하나의 약물은 무엇인가?

① Maropitant
② Tranexamic acid
③ Ondansetron
④ Diphenhydramine
⑤ Metoclopramide

82. μ-opioid성 수용체 효현제로써 serotonin과 norepinephrine의 재흡수를 저해하는 진통제는 무엇인가?

① Naloxone
② Naltrexone
③ Amantadine
④ Tramadol
⑤ Ketamine

83. Benzodiazepine에 대한 설명으로 옳지 않은 것은?

① 항경련제로 사용된다.
② 고양이에게 지속적으로 diazepam을 투여하면 급성 간괴사가 발생할 수 있으므로 고양이에서 항경련제로는 추천하지 않는다.
③ 고양이에서 항경련 치료 유지 약물로 lorazepam이 유용하다.
④ Diazepam은 다른 benzodiazepine계 약물과 비교하여 직장 투여 시 잘 흡수된다.
⑤ Midazolam은 diazepam보다 항경련 효과가 약하지만 작용 시간은 길다.

84. Propofol에 대한 설명으로 옳지 않은 것은?

① GABA_A 수용체를 활성화시켜 마취를 일으킨다.
② 호흡 마취 이전 마취유도를 위해 사용할 수 있다.
③ 뇌혈류량과 뇌의 산소 소비량을 증가시켜 두개내압이 증가된 환축에 사용하는 것은 위험하다.
④ 간에서 빠르게 대사된다.
⑤ 빠르게 IV 투여하면 일시적인 무호흡이 나타날 수 있다.

85. Flunixin meglumine에 대한 설명으로 옳지 <u>않은</u> 것은?

① 말에서는 COX-2의 억제효과가 우세하다.

② 개에서는 COX-1의 억제효과가 우세하다.

③ 근육주사를 하면 근육이 괴사되는 부작용이 있다.

④ 약물은 주로 신장을 통해 배설된다.

⑤ 다른 NSAID 약물과 다르게 산통과 관련된 내장유래의 통증완화에 대한 효과가 없다.

86. 고리 이뇨제(Loop diuretic)중 furosemide에 대한 특징으로 옳지 <u>않은</u> 것은?

① 울혈성 심부전, 전신 부종과 폐, 뇌 부종에서 발생하는 부종액의 신속한 이동을 위해 선택되는 약물이다.

② 상피세포의 관강쪽 표면에 작용하여 세포 내로의 Na^+-K^+-$2Cl^-$ 공동수송을 억제한다.

③ Ca^{2+}의 재흡수를 증가시켜 저칼슘혈증 환자의 혈중 칼슘 농도 교정을 위해서도 사용할 수 있다.

④ 약물의 작용은 소변의 pH에 의존적이지 않다.

⑤ 부작용으로 저칼륨혈증을 유발할 수 있다.

87. 혈전색전증 예방 및 치료에 쓰이는 약물로 항응고제, 섬유소 용해제, 항혈소판제 등을 사용할 수 있다. 다음 약물 중 작용기전(분류기준)이 다른 하나는 무엇인가?

① Clopidogrel

② Heparin

③ Dalteparin

④ Warfarin

⑤ Rivaroxaban

88. 다음 중 개와 고양이에서 식욕 촉진제로 사용할 수 있는 약물은?

① Ibuprofen

② Meloxicam

③ Apomorphine

④ Mirtazapine

⑤ Cisapride

89. 녹내장 치료 약물로 프로스타글란딘 유사제(Prostaglandin Analogs, PGA)에 해당되는 것은 무엇인가?

① Azathioprine

② Acetazolamide

③ Latanoprost

④ Mannitol

⑤ Atropine

91. 독성 물질의 대사에 대한 설명으로 옳은 것은?

① 모세혈관의 투과성이 증가하면 독성물질의 독성이 감소한다.

② 창자-간 순환은 체내에서 독성물질 잔류시간을 줄여준다.

③ 독성물질이 체내에서 대사를 거치면 독성이 증가/감소할 수 있다.

④ 분배계수가 큰 독성 물질은 배설이 잘 된다.

⑤ CYP-450는 독성물 물질 해독에 관여하지 않는다.

90. 항암제로 사용할 수 있는 cyclophosphamide에 대한 설명으로 옳지 않은 것은?

① 수의학에서 가장 일반적으로 사용되는 알킬화제로 유선종양, 상피성 암(carcinoma), 비만 세포 종양의 치료 프로토콜로 사용할 수 있다.

② 간에서 활성형으로 전환이 필요하므로 종양에 직접 주사되어서는 안 된다.

③ 골수 억제가 가장 일반적인 부작용으로 나타날 수 있다.

④ Furosemide와 병용하게 되면 출혈성 방광염 발생률을 현저히 증가 시킨다.

⑤ 대사체는 신장을 통해 48~72시간 동안 배설된다.

92. 독성 물질에 대한 호흡기계 세포와 호흡기의 반응에 대한 설명으로 옳지 않은 것은?

① Vitamine A는 Goblet cell의 점액 분비에 영향을 줄 수 있다.

② 독성 물질로 인해 IgE 분비가 증가하면 평활근 수축으로 호흡장애가 유발될 수 있다.

③ 수용성 독성 물질은 상부기도에 영향을 줄 수 있다.

④ 호흡기 독성 물질에 노출되면 섬모세포(Ciliated cell)가 손상될 수 있다.

⑤ 오존(O_3)에 지속적인 노출이 되면 Clara cell보다는 상부기도에 비가역적인 손상을 일으킬 수 있다.

93. 신장 독성 기전에 대한 설명으로 옳지 않은 것은?

① 집합관과 원위 세뇨관을 구성하는 세포가 파괴되면, 요붕증이 유발
될 수 있다.

② 신장을 통하는 혈류량이 정상에서 1/3배로 줄어들면 사구체 여과
율에 변화를 일으킬 수 있다.

③ 여러 종류의 Cast가 생성될 수 있다.

④ 독성 물질에 의한 괴사가 발생할 수 있다.

⑤ 독성 물질이 노출된 후, 초기에는 신장 내 혈관을 이완시켜 독성
물질 배설을 촉진시키려 한다.

94. 다음 독성 물질의 용량-반응 관계를 나타내는 지표 중, 약물에 대한
반응을 관찰할 수 있는 최소 용량을 나타낸 용어는?

① LOEL

② LOAEL

③ NOEL

④ NOAEL

⑤ LD_{50}

95. 부동액(Ethylene glycol) 독성에 대한 설명으로 옳지 않은 것은?

① Shock와 폐부종에 대한 대증치료로 Corticosteroid를 투여하는
방법이 있다.

② 해독제가 없으므로 구토를 유발하는 것이 가장 좋은 방법이다.

③ Oxalate acid가 형성되어 Renal tubule이 손상된다.

④ Glycolic acid가 형성되어 Metabolic acidosis가 유발된다.

⑤ 인슐린 분비가 억제되어 Hyperglycemia가 유발된다.

96. 곰팡이 독소에 대한 설명 중 옳지 않은 것은?

① 곰팡이는 저온건조한 환경보다 고온다습한 환경에서 더 많이 발생한다.

② Aspergillus가 만드는 Aflatoxin은 체내 간에서 대사되면서 에폭시
(Epoxy)를 형성한다.

③ Citrinin은 신독성을 유발한다.

④ 돼지의 생식계에 장애를 일으키는 Fusarium 속 곰팡이가 만드는
독소는 Salframine이다.

⑤ 곰팡이 독소가 유발한 질병은 동물 간 전염되지 않는다.

97. <보기>의 설명에 부합하는 내분비계 교란물질은 무엇인가?

<보기>
1. 다이옥신 중 독성이 가장 높다.
2. Aryl hydrocarbon Receptor(AhR)를 경유하여 유전자 발현에 영향을 줄 수 있다.
3. 탄소 번호 2, 3, 7, 8에 염소화가 되어 있다.

① PCDD
② PCD
③ HCDD
④ OCDD
⑤ TCDD

98. 페인트가 칠해진 물건을 지속적으로 핥다가 삼킨 이력이 있는 강아지가 내원하였다. 여러 검사를 바탕으로 조혈작용에 장애가 있고 Renal tubule의 변성과 이상을 발견할 수 있었다. 어떤 물질의 중독이라고 예상할 수 있는가?
① 수은
② 석면
③ 납
④ 비소
⑤ 카드늄

99. 소와 반추류는 다른 동물과 비교하여 (A)가 부족하여 Succinylcholine에 유독하다. (A)는 무엇인가?
① Glucuronyl transferase
② Hydroxylase
③ Cholinesterase
④ Acetyltransferase
⑤ Glutathione transferase

100. 유기인제(Organophosphate) 살충제에 대한 설명으로 옳지 않은 것은?
① 유기염소계(Organochlorine) 살충제와 비교하여 볼 때, 반감기가 길고 분해 기전이 없어서 먹이사슬을 통한 농축이 일어난다.
② 독성 발현 시 Atropine, 2-PAM을 사용할 수 있다.
③ Cholinesterase 억제로 독성이 발현된다.
④ Ach 축적으로 Cholinergic nerve가 과도하게 흥분된다.
⑤ 대부분 급성 중독반응을 보인다.

※ 확인 사항
답안지의 해당란에 필요한 내용을 정확히 기입(표기)했는지 확인하시오.

Memo

예방수의학

1. 세균이 증식하기 위해서 필요한 여러 가지 증식인자가 있다. 이 중 NAD(V-factor)와 Hemin(X-factor) 둘 다 요구되는 세균(A)와 NAD, Hemin이 필요 없는 세균(B)를 알맞게 짝지은 것은?
① (A) *Mycobacterium avium*, (B) *Mycobacterium tuberculosis*
② (A) *Mycobacterium tuberculosis*, (B) *Mycobacterium avium*
③ (A) *Brucella abortus*, (B) *Mycobacterium bovis*
④ (A) *Histophilus somni*, (B) *Haemophilus influenza*
⑤ (A) *Haemophilus influenza*, (B) *Histophilus somni*

2. 다음 〈보기〉중 혐기성 세균을 모두 고른 것은?

〈보기〉	
A. *Bacillus*	B. *Fusobacterium*
C. *Pseudomonas*	D. *Mycobacterium*
E. *Brachyspira*	F. *Clostridium*

① A, B, C
② A, D, E
③ B, C, D
④ B, E, F
⑤ C, D, E

3. 다음 중 바이러스에 대한 설명으로 옳지 않은 것은?
① 바이러스 증식은 항상 시간에 비례하여 바이러스의 역가가 증가한다.
② 증식을 위해서 반드시 세포 내 기생하는 과정이 필요하다.
③ 바이러스는 세포벽을 가지지 않는다.
④ 바이러스는 여러 종류의 과정을 통해 돌연변이가 일어날 수 있다.
⑤ Influenza 바이러스는 돼지에서 바이러스 재조합(Reassortment)가 많이 발생한다.

4. 다음 중 Antigen Presenting 능력이 없는 것은?
① T cell
② B cell
③ Kupffer's cell
④ Dendritic cell
⑤ Alveolar macrophage

5. 다음 중 형태학적으로 나머지 넷과 가장 <u>다른</u> 것은?

① *Mycobacterium paratuberculosis*

② *Erysipelothrix rhusiopathiae*

③ *Leptospira interrogans*

④ *Bacillus anthracis*

⑤ *Escherichia coli*

6. 인공배지에서 배양이 불가능하여 세균 배양을 하기 위해 반드시 세포 내 배양으로만 가능한 미생물이 <u>아닌</u> 것은?

① Chlamydophila

② *Staphylococcus aureus*

③ Rickettisa

④ Coxiella

⑤ *Mycobacterium leprae*

7. 바이러스에 대한 설명으로 옳지 <u>않은</u> 것은?

① 바이러스가 복제되기 위해 숙주가 필요하다.

② 대표적인 genome의 형태로 circular, linear 형태가 존재한다.

③ 세포벽은 존재하지 않는다.

④ DNA와 RNA를 동시에 가지고 있다.

⑤ 항생제에 효과가 없다.

8. 다음 바이러스 중 특징이 <u>다른</u> 하나는?

① Retroviridae

② Bunyaviridae

③ Flaviviridae

④ Coronaviridae

⑤ Herpesviridae

9. 다음 바이러스 중 envelope이 없는 것은?

① Asfarviridae

② Adenoviridae

③ Poxviridae

④ Filoviridae

⑤ Togaviridae

11. 다음 중 보체의 기능이 <u>아닌</u> 것은?

① 식균작용 억제

② MAC 형성

③ 항체 반응 촉진

④ B cell 활성화

⑤ 염증반응 촉진

10. 다음 immunoglobulin 중 분자량이 가장 크고, Pentamer 형태를 지닌 것은 무엇인가?

① Ig A

② Ig D

③ Ig E

④ Ig G

⑤ Ig M

12. 소 럼피스킨병 (LSD, Lumpy skin disease)에 대한 설명으로 옳지 <u>않은</u> 것은?

① 흡혈곤충에 의해 매개될 수 있다.

② 이환된 소는 발열, 체표림프절의 종대, 피부 및 점막 결절, 사지 부종, 파행 등이 나타날 수 있다.

③ 가축전염병 예방법상 국내 제1종 법정 가축전염병에 해당한다.

④ 아직 백신은 개발되어 있지 않아, 예방적 살처분만이 확산을 막는 방법으로 알려져 있다.

⑤ Poxviridae의 Capripoxvirus에 속한다.

13. 탄저에 대한 설명으로 가장 옳지 <u>않은</u> 것은?

① 사람에서는 Woolsorter's disease라 부른다.

② 탄저에 대한 검사법으로 Ascoli test를 시행해볼 수 있다.

③ Pearl disease는 탄저병과 깊은 관련이 있다.

④ 탄저균의 병원성 요소로 Edema Factor(EF), Lethal Factor(LF), Protective antigen(PA) 등이 있다.

⑤ 원인체의 아포는 토양에서 장기간 생존한다.

14. 〈보기〉는 수포를 형성하는 질병과 원인체를 나타낸 것이다. 옳게 짝지어진 것을 모두 고른 것은?

〈보기〉

A. 구제역(FMD) - Picornaviridae
B. 수포성 구내염(VS) - Rhabdoviridae
C. 돼지 수포성 발진(VES) - Caliciviridae
D. 돼지 수포병(SVD) - Picornaviridae

① A, B
② A, C
③ A, B, C
④ A, C, D
⑤ A, B, C, D

15. 아프리카 돼지열병(ASF)에 대한 설명으로 옳지 <u>않은</u> 것은?

① 원인체는 Asfarviridae로 DNA 유전체를 가진다.

② 멧돼지도 숙주가 될 수 있다.

③ 진드기 매개 질병이다.

④ 돼지열병(CSF)와 원인체가 다르다.

⑤ 비장종대와 같은 병리학적 소견을 보이지 않는다.

16. Coronaviridae에 대한 설명으로 옳지 <u>않은</u> 것은?

① SARS-CoV-2는 COVID-19의 원인체이다.

② PED와 TGE의 원인체이다.

③ FIP의 원인체이다.

④ 소의 Coronavirus 감염증은 여름에 많이 발생한다.

⑤ MERS와 SARS는 Beta-coronavirus로 분류된다.

17. Brucella에 대한 설명으로 옳지 않은 것은?

① Screening Test로 Milk ring test를 시행해볼 수 있다.

② 소에 대한 백신이 있으며 우리나라에서 접종이 시행되고 있다.

③ 시험관 내 응집반응은 약 48시간 후에 결과를 알 수 있다.

④ 수컷 개(Canine)에서 생식기 종대가 관찰될 수 있다.

⑤ 소의 임신 말기에 유산을 일으킬 수 있다.

18. 우리나라 돼지 농장에서 산발적으로 발생하는 (A)는 Diamond disease라고도 불린다. (A)에 대한 설명으로 옳지 않은 것은?

① Immune Complex 반응이 일어난다.

② *Erysipelothrix rhusiopathiae*가 원인체이다.

③ 만성형에서는 관절염을 보인다.

④ 인수공통전염병이 아니다.

⑤ 조류에도 감염될 수 있다.

19. 토끼의 상부호흡기도에 감염되어 화농성 삼출물을 발병시키며 호흡곤란을 일으키는 Snuffles의 원인체는 무엇인가?

① *Pasteurella multocida*

② *Haemophilus parasuis*

③ *Moraxella bovis*

④ *Taylorella equigenitalis*

⑤ *Brucella canis*

20. 마비저(Glanders)에 대한 설명으로 옳지 않은 것은?

① 원인체는 *Burkholderia mallei*이다.

② 경구감염이 가능하다.

③ 말, 돼지, 소, 양에 대한 자연 감염이 인정된다.

④ 증상은 크게 급성형과 만성형으로 구분할 수 있다.

⑤ Mallein 검사로 진단이 가능하다.

21. 〈보기〉에 해당되는 전염병명은 무엇인가?

> **〈보기〉**
> A. Borrelia burgdorferi 감염에 의해 발병한다.
> B. Ixodes dammini 참진드기를 매개로 한다.
> C. 진드기에 물린 부위 위주로 붉은 발진을 보인다.

① 우역
② 라임병
③ 이질
④ 흑사병
⑤ 매독

22. 다음 중 돼지 위축성 비염(Atropic rhinitis)를 일으키는 원인체는 무엇인가?

① *Brucella suis*
② *Bordetella bronchiseptica*
③ *Erysipelothrix rhusiopathiae*
④ *Clostridium perfringens*
⑤ *Mycobacterium tuberculosis*

23. Wooden tongue에 대한 설명으로 옳지 **않은** 것은?

① *Actinomyces bovis*에 의해 발생한다.
② 방선균증과의 감별진단이 필요한 질병이다.
③ 혀가 커지고 딱딱하게 변한다.
④ 고름에서 유황과립이 발견된다.
⑤ 원인체는 그람 음성균이다.

24. 야토병(Tularemia)에 대한 설명으로 옳지 **않은** 것은?

① 인수공통전염병이다.
② 공기 전파와 절지동물에 의한 기계적 전파가 가능하다.
③ 적절한 항생제를 사용하면 치료가 가능하다.
④ 원인체는 양단염색이 불가능하다.
⑤ 감염 경로에 따라 여러 가지 임상증상을 나타낸다.

25. 돼지 피부 표면에 점액성 삼출물이 분비되며 어린 돼지에서 폐사율이 높은 Greasy pig disease라고도 불리는 돼지 삼출성 표피염 (Exudative epidermitis)의 원인체는 무엇인가?

① *Escherichia coli*
② *Leptospira weilii*
③ *Salmonella pullorum*
④ *Streptococcus equi*
⑤ *Staphylococcus hyicus*

26. 구제역(FMD)를 일으키는 원인체에 대한 설명으로 옳지 <u>않은</u> 것은?

① Picornaviridae에 속한다.
② Envelope이 없다.
③ Double stranded RNA 바이러스이다.
④ A, C, O, SAT1, SAT2, SAT3, Asia1등 여러 serotype이 존재한다.
⑤ 공기 전파가 가능하다.

27. Rotavirus 감염병에 대한 설명으로 옳지 <u>않은</u> 것은?

① 주로 설사와 탈수증상을 보인다.
② 항생제만으로 치료가 가능한 질병이다.
③ 어린 소에서 높은 폐사율을 보인다.
④ ELISA를 통한 진단이 가능하다.
⑤ 우리나라에서 송아지의 rotavirus 감염병에 대한 보고가 있다.

28. 다음중 Flaviviridae 감염병에 속하지 <u>않는</u> 것은?

① BVD-MD
② Dengue fever
③ Japanese encephalitis
④ Equine viral arteritis
⑤ Swine fever

29. 개 홍역(Canine distemper)에 대한 설명으로 옳지 <u>않은</u> 것은?

① 원인체는 Orthomyxoviridae에 속한다.

② 원인체는 RNA 바이러스이며 envelope을 가진다.

③ 어린 강아지에게 위독한 질병일 수 있다.

④ 백신으로 예방이 가능하다.

⑤ 개 뿐만 아니라 여우, 페럿 등 개과 동물에게도 감수성이 있다.

30. 〈보기〉에 해당되는 전염병명은 무엇인가?

> 〈보기〉
> A. 공수병으로 불리기도 한다.
> B. 원인체는 Rhabdoviridae에 속한다.
> C. 야생 너구리의 교상이 있는 개에서 발견되기도 한다.

① Ibaraki disease

② Porcine reproductive and respiratory syndrome(PRRS)

③ Rabies

④ Vesicular stomatitis

⑤ Bovine Ephemeral fever

31. 〈보기〉 중 난계대 전염이 가능한 것을 모두 고른 것은?

> 〈보기〉
>
> A. Newcastle Disease   B. Fowl pox
> C. *Mycoplasma gallisepticum*   D. Chicken Infectious Anemia
> E. Egg Drop Syndrome   F. Avian Encephalomyelitis

① A, B, C, D

② A, B, D, F

③ B, C, D, E

④ B, C, D, F

⑤ C, D, E, F

32. 조류의 병변 일부를 나타낸 사진이다. 해당 병변에 대한 설명 중 가장 옳지 <u>않은</u> 것은?

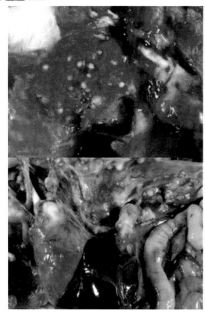

① *Aspergillus*에 의한 병변으로 의심된다.

② 기낭과 폐에 육아종을 형성한다.

③ 사양관리, 환경적 스트레스와 관련이 없다.

④ 주로 다량의 원인체 노출에 의해 발생한다.

⑤ 어린 일령에서의 폐사는 추백리, 아데노바이러스 감염 등과 감별해야한다.

33. 오리 질병에 대하여 옳지 <u>않은</u> 것은?

① 오리 바이러스성 간염(DVH)의 원인체는 Picornaviridae이며 감염된 오리는 간 종대, 점상 및 반상의 출혈소견을 보인다.

② 오리 바이러스성 장염(DVE)의 원인체는 Herpesviridae이며 감염된 오리는 식욕부진, 후궁반장 등의 증상을 보인다.

③ 오리 리메렐라 감염증의 원인체는 *Riemerella anatipestifer*이며 그람양성이며 구균이다.

④ 오리 리메렐라 감염증에 걸리면 신경증상을 보인다.

⑤ 오리 써코바이러스 감염병은 면역저하를 일으킨다.

34. 조류독감(Avian influenza, AI)의 원인체 대한 설명으로 옳은 것은?

① Orthomyxoviridae로 DNA 바이러스이다.

② Envelop이 없다.

③ 유전자 변이가 잘 일어나지 않는다.

④ H항원 16종과 N항원 9종으로 144종의 아형이 존재한다.

⑤ 소독제에 대한 저항성을 가진다.

35. 조류독감(Avian influenza, AI)에 대한 설명으로 옳지 <u>않은</u> 것은?

① 모든 H5 와 H7형은 고병원성을 나타낸다.

② H5N1형의 포유류 감염 사례가 존재한다.

③ 야생 철새 뿐만 아니라 농장에서 기르는 메추리에게도 감수성이 있다.

④ HPAI는 갑작스런 폐사를 일으킬 수 있다.

⑤ 국내에서 HPAI에 대한 백신은 접종하지 않는다.

36. 다음 질병 중 면역저하를 일으키지 <u>않는</u> 것은?

① 전염성 후두기관(Infectious Laryngotracheitis, ILT)

② 오리 바이러스성 장염(Duck Virus Enteritis, DVE)

③ 조류 백혈병(Avian Leukosis, AL)

④ 닭 전염성 빈혈(Chicken Infectious Anemia, CIA)

⑤ 세망내피증(Reticuloendotheliosis, RE)

37. 마렉병(Marek's Disease, MD)에 대한 설명으로 옳지 <u>않은</u> 것은?

① 부검 시, vagus nerve가 두꺼워진 것을 관찰할 수 있다.

② 한 쪽 다리는 앞으로, 반대쪽은 뒤로 젖힌 자세를 취하기도 한다.

③ 1일령 백신 접종 항목에 포함되지 않는다.

④ 종양이 발생하기도 한다.

⑤ 병아리보다 성계에서 다발한다.

38. 가금티푸스(Fowl Typhoid)에 대한 설명으로 옳지 <u>않은</u> 것은?

① 원인체는 *Salmonella gallinarum*이다.

② 산란계에서 호발한다.

③ 치료를 위해 항생제를 사용할 수 있다.

④ 난계대 전염이 인정된다.

⑤ 4주 이하의 병아리에서만 감수성이 높다.

39. 주로 넙치에서 감염되는 그람 음성균으로 Samonella Shigella agar에서 특징적인 흑색 집락 형성을 보고 진단할 수 있다. 복부팽만, 탈장, 안구돌출 등을 임상증상으로 가지는 넙치의 질병은 무엇인가?

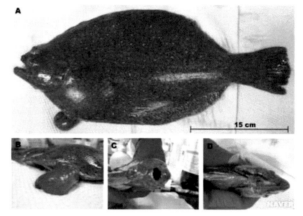

① 세균성 아가미 병(Bacterial Gill Disease)

② 활주세균증(Gliding Bacterial Disase)

③ 세균성 장관 백탁증(Bacterial Enteritis)

④ 에드워드 병(Edwardsiellosis)

⑤ 스쿠티카증(Scuticocilatosis)

40. *Batrachochytrium dendrobatidis*를 원인체로 하며 지구온난화로 인해 국내에서도 많이 발생한다. 개구리에서 운동실조, 축동(Miosis), 피부호흡 장애로 사망에 이르게하는 질병은?

① 대장균증(Colibacillosis)

② 물곰팡이병(Saprolegniasis)

③ 항아리 곰팡이병(Chytridiomycosis)

④ 양서류 폐선충 감염증(Rhabdiasis)

⑤ 레드 레그 병(Red Leg Disase)

41. 다음 중 수생 양서류의 해부학적 구조에 대한 설명으로 옳지 <u>않은</u> 것은?

① 유생 단계에서는 내골격이 없는 지느러미를 가지고 헤엄칠 수 있다.

② 몸속에서의 유영을 위해 발가락 사이에 물갈퀴가 발달하였다.

③ 많은 점액선을 갖는 피부는 보호와 위장 기능뿐만 아니라 물속에서 가스교환이 이루어지는 중요한 호흡기관이다.

④ 유생 단계에서는 비공을 통하여 허파로 공기를 호흡하며, 성장하면 아가미로 수중호흡을 할 수 있다.

⑤ 2심방 1심실 구조를 가진다.

42. 이구아나의 대사성 뼈 질환에 대한 가장 올바른 치료 방법은 무엇인 가?

① 제한적인 수분 공급

② Ca^{2+} 투여

③ Tetracycline 처방

④ Normal Saline 0.9% 투여

⑤ 4℃에서 저온 치료

43. 수산용 백신의 사용과 문제점에 대한 설명 중 옳지 <u>않은</u> 것은?

① 수산용 백신으로는 현재까지는 주로 포르말린 등으로 불활화시킨 사균 또는 사독백신등이 개발되어 사용되었다.

② 복강내 주사법은 투여량도 정확하고 방어능도 다른 면역법에 비교하여 높지만 스트레스가 크고 많은 시간과 노력을 필요로 하는 단점이 있다.

③ 경구투여법은 스트레스 없이 적용할 수 있는 이상적인 방법이지만, 물고기에 따라 섭취되는 양이 다르고, 오랜 시간 투여해야만 효과를 나타낸다.

④ 침지법은 주사법 다음으로 유효한 방법으로, 주사가 어려운 치어 등 비교적 대량 처리가 가능하여 비교적 빠른 시간 내에 적용할 수 있어 널리 보급되어져 있다.

⑤ 넙치의 에드와드병, 연쇄구균증, 이리도바이러스 감염증에 대한 백신은 존재하지 않으므로 청결한 환경만이 유일한 예방법이다.

44. 〈보기〉에서 설명하는 기생충에 해당되는 것은?

> **〈보기〉**
> 가. 흡충류이며, 흡충류 중 생활사가 다른 기생충과 비교하여 현저히 다르다.
> 나. 난개를 배출하지 않는다.
> 다. 경피감염이 인정된다.
> 라. 사람의 방광에서 종양을 유발하는 종이 있다.

① 주혈흡충

② 쌍구흡충

③ 췌질

④ 개식도충

⑤ 닭맹장충

45. 〈보기〉에서 태반감염이 인정되는 기생충을 모두 고른 것은?

〈보기〉
A. 개회충 (*Toxocara canis*)
B. 톡소포자충 (*Toxoplasma gondii*)
C. 네오스포라 (*Neospora caninum*)
D. 러시아 범안열원충 (*Theileria sergenti*)

① A
② A, B
③ A, C
④ A, C, D
⑤ A, B, C, D

46. 2023년 9월 어느날, 강원도 화천군에 있는 한 돼지 농가(A)에서 돼지 5두가 급사하였다. 수의사 "갑"의 부검 결과, 특이사항으로 비장종대를 보고 받았다. 결국 (A)농가의 돼지는 모두 살처분하였다. 다음 사진은 돼지를 살처분하기 전 수의사 "갑"이 검체를 채취한 진드기이다. 어떤 진드기로 가장 의심되는가?

① 작은소참진드기 (Haemaphysalis longicornis)
② 모낭충 (Demodex phylloides)
③ 옴진드기 (Sarcoptes scabiei)
④ 참진드기 (Ixodes ricinus)
⑤ 물렁진드기 (Ornithodoros moubata)

47. 집쥐의 간 실질에 대한 병리학적 소견이다. 이 기생충에 대한 설명으로 옳지 <u>않은</u> 것은?

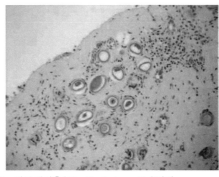

① 원인체는 간모세선충(*Capillaria hepatica*)이다.
② 우리나라에서는 발견되지 않는다.
③ 개나 고양이에게도 감염될 수 있다.
④ 충란은 외계로 배출되지 않는다.
⑤ 인수공통전염병이므로 주의가 필요하다.

48. 지상사상충(*Setaria digitata*)에 대한 설명으로 옳지 <u>않은</u> 것은?
① 종숙주는 소이다.
② 모기는 중간숙주이다.
③ 주로 복강에 위치한다.
④ 이소기생이 가능하지만 숙주의 안구 내에서는 생존이 불가능하다.
⑤ 태반감염이 인정된다.

49. 자가 감염이 가능한 기생충이 <u>아닌</u> 것은?

① 개구충
② 왜소조충
③ 분선충
④ 와포자충
⑤ 장모세선충

50. 기생충의 자충이 자연적인 숙주 이외의 동물의 내장 조직에 침입하는 현상을 일컫는 말은 무엇인가?

① 자가 감염
② 자가 치유 현상
③ 자충내장이행증
④ 숙주 외 기생 현상
⑤ 숙주 이탈 현상

51. 중증열성혈소판감소증후군(SFTS)가 의심되는 사체에서 발견된 매개체이다. 가장 의심되는 매개체는 무엇인가?

① 물렁진드기
② 작은소참진드기
③ 모낭진드기
④ 개 옴진드기
⑤ 뿔진드기

52. 고양이 만성 설사 분변검사 결과 다수의 소형 원충이 발견되었고, 원래 소의 성병 원인체로 알려진 이 기생충은?

① *Plasmodium livax*
② *Trichomonas foetus*
③ *Toxoplasma gondii*
④ *Eimeria maxima*
⑤ *Cryptosporidium parvum*

53. 다음 병명과 Hypersensitivity 분류를 적절히 이은 것은?

① Hypersensitivity type I - 전신홍반루푸스(Systemic Lupus Erythematosus; SLE)
② Hypersensitivity type II - 용혈성 빈혈 (Hemolytic anemia)
③ Hypersensitivity type III - 아토피피부염 (Atopic dermatitis)
④ Hypersensitivity type IV - 천포창 (Pemphigus)
⑤ Hypersensitivity type V - 만성 알레르기성 질병 (Chronic allergic disease)

55. 다음 사진은 어떤 RNA virus에 감염된 돼지의 증상을 나타낸 것이다. 가장 의심되는 질병은 무엇인가?

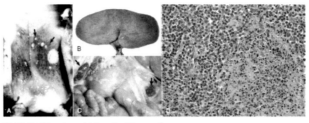

① FMD (Foot and Mouth Disease)
② Porcine Epidemic Diarrhea
③ Swine Vesicular Disease
④ Classical Swine Fever
⑤ African Swine Fever

54. 병변이 있는 소의 림프절의 사진이다. 어떤 괴사에 해당되는가?

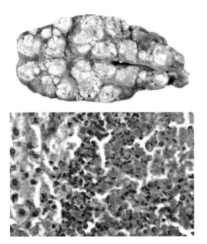

① 건락괴사
② 지방괴사
③ 액화괴사
④ 응고괴사
⑤ 괴저성 괴사

56. 다음은 신경증상을 보이는 동물의 뇌조직에서 나타나는 Perivascular cuffing이다. 관련이 없는 것은?

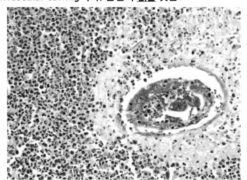

① BSE (Bovine spongiform encephalopathy)
② Rabies
③ Marek's disease
④ Listeria infection
⑤ Aujeszky's disease

57. 다음은 병변이 있는 폐의 사진이다. 이를 유발하지 않는 것은?

① 림프관 저류
② 모세관 삼투압 감소
③ 혈관 투과성 증가
④ 저알부민혈증
⑤ 나트륨 배출 증가

59. 다음 사진에 나타난 세포의 변화는 무엇인가?

① Normal
② Atrophy
③ Hypertrophy
④ Metaplasia
⑤ Atrophy와 Hypertrophy가 혼재된 상태

58. 다음 사진이 가리키는 괴사의 종류는 무엇인가?

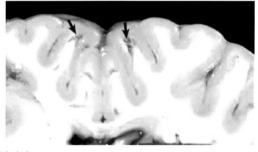

① 지방괴사
② 응고괴사
③ 액화괴사
④ 건락괴사
⑤ 합성괴사

60. 다음 사진은 양의 신장과 소변 샘플을 나타낸 것이다. 가장 의심되는 중독증은 무엇인가?

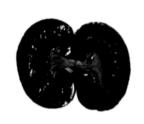

① 소금 중독
② 구리 중독
③ 납 중독
④ 수은 중독
⑤ 아연 중독

61. 다음 사진은 식욕부진을 보이다 폐사한 돼지를 부검한 사진이다. 가장 의심되는 폐사의 원인은 무엇인가?

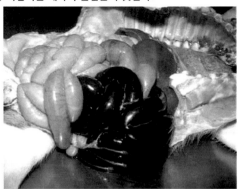

① Hemangiosarcoma
② Pulmonary stenosis
③ Pneumothorax
④ Liver torsion
⑤ Small intestine volvulus

62. 다음 사진에서 거대식도를 일으킨 원인은 무엇인가?

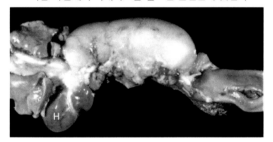

① Leiomyoma
② Heartworm disease
③ Persistent Right Aortic Arch(PRRA)
④ Gastritis
⑤ Intussusception

63. 다음은 결장에서 발견된 Button ulcer이다. 보기 중 Button ulcer를 보이지 <u>않는</u> 질병은 무엇인가?

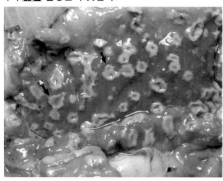

① Salmonellosis
② Newcastle disease
③ BVD-MD
④ Lawsonia
⑤ Classical swine fever

64. 다음 사진에 나타난 간에 생긴 변화는 무엇인가?

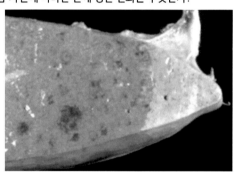

① Nutmeg liver
② Amyloidosis
③ Tension Lipidosis (Steatosis)
④ Hepatic abscess
⑤ Granuloma

65. 페르시안 고양이에서 유전적으로 신장에 다발하는 질병은 무엇인가?

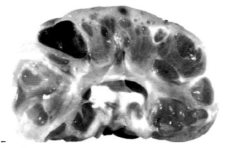

① Renal dysplasia
② Polycystic kidney
③ Glomerulonephritis
④ Amyloidosis
⑤ Urolithiasis

66. 다음 염소는 어떤 문제로 갑상샘 비대증이 생겼는가?

① 식염 중독
② 좌심부전
③ 광견병
④ 요오드 결핍
⑤ 성장호르몬 결핍

67. 다음은 소의 뇌의 조직 사진이다. 옳지 않은 설명은 무엇인가?

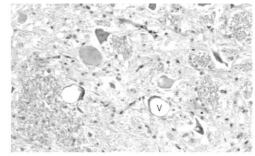

① 변형 프리온에 의해 발병한다.
② 사슴에서는 이 질병에 대한 저항성이 있다.
③ 진단 과정 중 Proteinase K를 처리하는 과정이 있다.
④ 원인체의 경구 감염이 인정된다.
⑤ 원인체는 일반적인 소독제에 대한 저항성을 가진다.

68. 다음 사진은 소의 제4위(abomasum)에서 발견된 병변이다. 이 병변의 병리학적 특징으로 가장 적절한 것은 무엇인가?

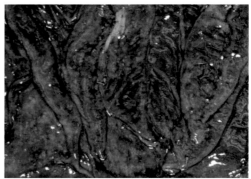

① 카타르염증(Catarrhal inflammation)
② 화농성염증 (Suppurative inflammation)
③ 육아종성염증 (Granulomatous inflammation)
④ 괴사성염증 (Necrotizing inflammation)
⑤ 섬유성염증 (Fibronous inflammation)

69. 다음은 개의 피하에 있는 역형성지방육종(anaplastic liposarcoma)에서 FNA(Fine Needle Aspiration) 한 후 현미경으로 관찰한 사진이다. 화살표가 가리키는 세포는 다음 중 어떤 것인가?

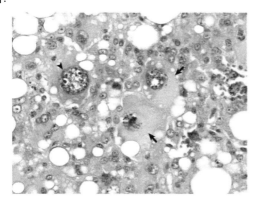

① 파골세포 (Osteoclast)
② 종양거대세포 (Tumor giant cell)
③ 염증세포 (Inflammatory cell)
④ 내피세포 (Endothelial cell)
⑤ 섬유모세포 (Fibroblast)

71. 다음은 개에서 급성비장경색(acute splenic infarcts)이 나타난 비장의 육안 병변 사진이다. 다음 중 이 질환의 가장 큰 원인은 무엇인가?

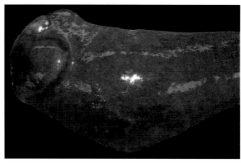

① 응고 항진 상태 유발을 초래하는 간 질환 (Hypercoagulative liver disease)
② 비장 농양 (Splenic abscess)
③ 소 타일레리아병 (Bovine theileriosis)
④ 돼지열병 (Classical swine fever)
⑤ 외상성 제2위염 (Traumatic reticulitis)

70. 다음은 송아지에서 기관지확장증 (Bronchiectasis)이 나타난 사진이다. 기관지확장증에 관한 설명 중 옳지 <u>않은</u> 것은?

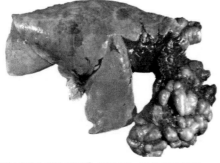

① 기관지의 비정상적인 확장을 유발하는 만성 질환이다.
② 기관지벽의 파괴 정도에 따라 주머니 모양 혹은 원통형일 수 있다.
③ 기관지가 삼출물로 인해 확장되기 때문에 폐에서 일시적인 종괴(lump)를 유발할 수 있다.
④ 기관지 내 삼출물을 둘러싸는 고름성 막(pyogenic membrane)이 직접적인 원인이다.
⑤ 기관지 상피의 편평상피화생 (squamous metaplasia)를 유발한다.

72. 다음 사진은 호산구증다성근염(bovine eosinophilic myositis)에 걸린 소의 둔부근(gluteal muscle)의 단면이다. 이 사진에서 볼 수 있는 초록색 병변의 가장 큰 원인은 무엇인가?

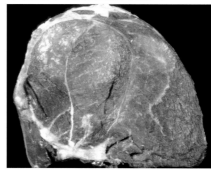

① 세균감염 (Bacterial infection)
② 심각한 부패 (Severe putrefaction)
③ 근육포자충 (*Sarcocystis* spp.)
④ 용혈 (Hemorrhage)
⑤ 괴사 (Necrosis)

73. 다음 중 노로바이러스에 대한 설명으로 옳지 <u>않은</u> 것은?

① 여름철보다 겨울철에 많이 발생한다.

② 다른 장 바이러스보다 Chlorine에 저항성이 약하여 살균 세척하여 사멸시키기 쉽다.

③ 원인체는 RNA 바이러스이다.

④ 집단급식에서 주로 발생할 수 있다.

⑤ 가열하지 않은 오염된 어패류를 섭취하면 감염될 수 있다.

74. 다음 중 경구 전염병에 대한 설명으로 옳지 <u>않은</u> 것은?

① 장티푸스는 오염된 음식이나 물을 섭취하면 발생할 수 있다.

② 이질은 영장류 뿐만 아니라 설치류에서도 발생할 수 있다.

③ 콜레라의 원인체는 Vibrio cholera이다.

④ 파라티푸스에는 A, B, C형 등 여러 type이 있다.

⑤ EHEC는 출혈성 설사를 특징으로 나타난다.

75. 다음 중 스모그에 대한 설명으로 옳지 <u>않은</u> 것은?

① 스모그는 크게 런던형, LA형 스모그로 분류할 수 있다.

② LA형 정오에 주로 발생한다.

③ LA형 스모그는 SO_2와 연관이 있다.

④ 런던형 스모그는 겨울철에 발생한다.

⑤ 런던형 스모그는 바람이 불지 않는 환경에서 발생한다.

76. 식중독은 크게 감염형, 독소형, 감염독소형으로 분류할 수 있다. 다음 중 감염형 식중독을 일으키는 원인체는?

① *Bacillus cereus*

② *Clostridium perfringens*

③ *Clostridium botulinum*

④ *Campylobacter jejuni*

⑤ *Staphylococcus aureus*

77. 다음 중 단면연구에 대한 설명으로 옳지 <u>않은</u> 것은?

① 질병의 원인 요인만 찾기 어렵다.

② 기존 자료의 활용이 가능하다.

③ 시간과 경비 절약이 가능하다.

④ 모집단이 커야한다.

⑤ 동시에 여러 종류의 질병과 요인에 대한 관련성 조사가 가능하다.

79. 다음 중 질병의 유행 양식 중 다음 그래프와 같은 양상을 보이는 질병에 해당하는 것은?

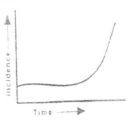

① 광견병

② 소 아나플라스마 병

③ COVID-19

④ 파상풍

⑤ 브루세라증

78. 다음 중 환축-대조군 연구에 대한 설명으로 옳지 <u>않은</u> 것은?

① 연구를 시작한 시점부터 앞으로의 추적조사에 대한 연구이다.

② 표본수가 적어도 된다.

③ 적합한 대조군 선정이 어렵다.

④ 단면연구에 비해 짧은 시간 내 수행이 가능하다.

⑤ 의심되는 다수의 요인을 동시에 검증 가능하다.

80. 다음 중 세균성 이질에 대한 설명으로 옳지 <u>않은</u> 것은?

① Shigella 감염에 의해 발병한다.

② 오염된 식품에 의해 전파된다.

③ 설사를 주증으로 한다.

④ 주로 사람과 원숭이에 감염된다.

⑤ 개, 고양이에게도 감염된다.

81. 다음 중 신증후군 출혈열에 대한 설명으로 옳지 **않은** 것은?

① Hantaan virus 감염에 의해 발병한다.

② 감염된 설치류로부터 사람으로 전파된다.

③ 자연계의 숙주는 체체파리이다.

④ 발열기, 저혈압기, 핍뇨기, 이뇨기, 회복기의 단계로 구분할 수 있다.

⑤ 한국에서도 발생하고 있는 질병이다.

82. 다음 중 질병을 매개하는 매개체의 종류가 **다른** 질병은?

① 뎅귀열

② 아프리카돼지열병

③ 황열

④ 아카바네

⑤ 서나일뇌염

83. 다음 중 온실기체에 해당하지 **않는** 것은?

① CO_2

② SF_6

③ N_2O

④ H_2

⑤ CH_4

84. 다음 중 방사선과 관련이 있는 단위가 **아닌** 것은?

① A(암페어)

② C(쿨롱)

③ Bq(베크렐)

④ Sv(시버트)

⑤ Gy(그레이)

85. 다음 중 생물화학적 산소 요구량(BOD)에 대한 설명으로 올바른 것은?

① 수중에 용존되어 있는 산소량
② 축산폐수를 상수도로 정화할 때 필요한 산소량
③ 수생동물이 생명을 유지할 수 있는 수중 속 필요한 최소한의 산소량
④ 수중의 유기물질을 화학적 산화제를 이용하여 산화시킬 때 요구되는 산소량
⑤ 수중의 유기물질을 호기성 미생물이 산화시킬 때 요구되는 산소량

86. 덜익은 소고기 패티가 있는 햄버거 섭취 이력이 있는 환자의 분변을 Mac-Conkey sorbitol에서 세균배양을 하였더니 흰색 집락을 나타내었다. 다음 중 이 원인체에 대한 설명으로 옳지 <u>않은</u> 것은?

① 원인체는 EHEC이다.
② Sorbitol 분해능이 없다.
③ 최적의 배양 온도는 20~25℃이다.
④ Shiga-like-toxin을 생성한다.
⑤ 복통, 출혈성-수양성 설사, 구토 등의 임상증상을 보인다.

87. 소고기, 양에서 볼 수 있는 현상으로, 도축 전 영양 부족이나 피로로 인해 pH가 상승한 상태에서 근내 glycogen이 소실되어 근육이 자적색~검게 되며 단단하고 건조하게 되는 현상을 무엇이라 하는가?

① PSE
② DFD
③ 백근병 (White muscle disease)
④ 사후경직
⑤ 지방 변성

88. 다음 〈보기〉 중 축산물 식품 검출 불가 항목에 해당하는 물질을 모두 올바로 고른 것은?

〈보기〉	
A. Chloramphenicol	B. Chloropromazine
C. Vancomycin	D. Malachite green

① A, B
② B, C
③ A, B, C
④ B, C, D
⑤ A, B, C, D

89. 다음 중 물의 정화 방법 중 완속여과법에 대한 설명으로 올바른 것은?

① 약품을 사용하여 침전 시킨다.
② 조류가 많이 섞인 물을 정화할 때 유리하다.
③ 건설 시 소요 면적은 좁은 편이다.
④ 건설비용이 많이 든다.
⑤ 혼탁도가 심할 때 유용한 여과법이다.

90. 다음 중 질병을 매개하는 매개체가 <u>다른</u> 하나는 무엇인가?

① 티푸스
② 콜레라
③ 미주성 출혈열
④ 살모넬라증
⑤ 이질

91. 다음 중 모기가 매개하는 질병으로만 올바르게 짝지어진 것은?

① 아프리카 마역 - 말라리아
② 야토병 - 쯔쯔가무시
③ 블루텅 - 아프리카 돼지열병
④ 발진열 - 발진티푸스
⑤ 참호열 - 사상충

92. 다음 중 HACCP 적용을 위한 준비단계를 순서대로 올바르게 나열한 것은?

① HACCP 팀 구성 - 식품특성과 취급 방법 기술 - 식품 사용 용도 기술 - 공정흐름도 작성 - 공정흐름도 검증
② HACCP 팀 구성 - 식품 사용 용도 기술 - 공정흐름도 작성 - 식품특성과 취급 방법 기술 - 공정흐름도 검증
③ HACCP 팀 구성 - 식품 사용 용도 기술 - 식품특성과 취급 방법 기술 - 공정흐름도 검증 - 공정흐름도 작성
④ 식품 사용 용도 기술 - HACCP 팀 구성 - 공정흐름도 작성 - 식품특성과 취급 방법 기술 - 공정흐름도 검증
⑤ 식품 사용 용도 기술 - 식품특성과 취급 방법 기술 - HACCP 팀 구성 - 공정흐름도 작성 - 공정흐름도 검증

93. 스트레스 상황에서 설치류가 종종 눈 아래에 붉은색 눈물을 흘리기도 한다. 다음 〈보기〉에서 이와 관련이 있는 것을 모두 고른 것은?

〈보기〉

A. Sendai virus	B. Mandibular gland
C. Parvo virus	D. Harderian gland
E. Porphyrin	F. Amyloid

① A, B
② B, C
③ C, D
④ D, E
⑤ E, F

94. 다음 중 설치류의 페로몬 영향으로 발생하며 대규모로 사육되는 상황에서 암컷의 발정이 억압되는 효과는?

① Vandenbergh 효과
② Hoover and Drickamer 효과
③ Lee-boot 효과
④ Whitten 효과
⑤ Bruce 효과

95. 다음 〈보기〉는 실험동물의 3R에 대한 설명을 나열해놓은 것이다, 다음 중 이를 올바르게 짝지은 것은?

〈보기〉

A. Replacement	가. 실험동물의 고통을 최소화
B. Reduction	나. 동물실험을 대체하는 다른 방법을 사용
C. Refinement	다. 실험동물의 수를 줄임

① A-가, B-나, C-다
② A-가, B-다, C-나
③ A-나, B-가, C-다
④ A-나, B-다, C-가
⑤ A-다, B-가, C-나

96. 다음 중 Rat에 대한 설명으로 옳지 않은 것은?

① 생후 10-12일이 되면 눈을 뜨기 시작한다.
② 염색체 수는 42개 이다.
③ SHR은 근교계에 해당된다.
④ LEW은 비만 연구에 적절한 모델이다.
⑤ 담낭이 존재하지 않는다.

97. 다음 중 Mouse에 대한 설명으로 옳지 <u>않은</u> 것은?

① 수명 : 1~3년
② 이유기 : 9일
③ 체온 : 약 37℃
④ 성성숙 : 28~49일
⑤ 개안 시기 : 12~13일

98. 다음 중 Sendai 바이러스 감염증에 대한 설명으로 옳지 <u>않은</u> 것은?

① 랫드가 감염되면 심각한 임상증상을 보이며 사망한다.
② 원인체는 RNA 바이러스 중 Paramyxoviridae에 속한다.
③ 공기에 의한 전파가 인정된다.
④ 호흡곤란, 성장 정체와 같은 임상증상을 보인다.
⑤ 기니피그에게 감수성을 가지고 있다.

99. 다음 중 보유하고 있는 미생물총의 모든 것이 명확하게 알려져 있는 실험동물을 무엇이라고 하는가?

① Specific Pathogen Free animal
② Germ Free animal
③ Knock-out animal
④ Conventional animal
⑤ Gnotobiotes animal

100. 다음 중 임신기간이 가장 짧은 실험동물은?

① 페럿
② 비글
③ 햄스터
④ 토끼
⑤ 기니피그

※ 확인 사항

답안지의 해당란에 필요한 내용을 정확히 기입(표기)했는지 확인하시오.

Memo

임상수의학 Ⅰ

1. 말에서 다발하는 제엽염에 대한 설명으로 가장 옳지 <u>않은</u> 것은?

① 기아(Starvation) 상태에서 다발한다.

② 오염된 사료 섭취로 감염될 수 있다.

③ 소화관 내의 이상으로 생기는 세균 독소가 문제될 수 있다.

④ 후산정체를 일으킨 말에서 잘 발생한다.

⑤ 체온, 총백혈구수, 적혈구용적, 혈청단백질 등이 증가한다.

2. 돼지에서 급성 중독 현상으로 신경계 병변에 의한 증상이 뚜렷하며 만성중독으로 지속될 경우, 신경증상이 심해지고 호흡곤란이나 혼수 상태에 빠질 수 있다. 가장 의심스러운 중독은 무엇인가?

① 구리 중독

② 식염 중독

③ 아연 중독

④ 유황 중독

⑤ 청산 중독

3. 유열(Milk fever)에 대한 설명으로 가장 옳지 <u>않은</u> 것은?

① 흥분, 경련, 마비 등의 신경증상과 체온 저하, 저칼슘혈증을 보인다.

② 분만 후 3일 이내 발생이 대부분이다.

③ 근육, 신경, 관절 손상 등에 의한 산후 기립불능과의 감별진단이 필요하다.

④ 치료를 위해 Ca제의 대량 주사와 유방 송풍이 현저한 효과를 낸다.

⑤ 많은 양의 착유를 하여 예방할 수 있다.

4. 말의 마비성 근색소뇨증에 대한 설명으로 옳은 것은?

① 만성 질병이며 후구마비를 보이는 증례가 없다.

② 저장된 glycogen이 소량일 때 발병한다.

③ 흉와자세나 횡와자세를 취한다.

④ 주로 운동 개시 후 6시간 이후에 증상이 나타난다.

⑤ 오줌에 근색소를 함유하고 있어 분광광도계로 혈색소와의 구별이 불가능하다.

5. 신생자돈 저혈당증에 대한 설명으로 옳지 <u>않은</u> 것은?

① 모유 섭취 부족으로 생후 수일 이내의 신생자돈에서 발병한다.

② 치료하지 않고 방치하면 폐사한다.

③ 저체온증, 피부의 창백 및 심박수 감소를 보인다.

④ 폐사 시, Glycogen의 양은 거의 소실되나 유리지방산의 농도는 정상보다 높아져있다.

⑤ 5% 포도당액 15ml을 복강 내로 4~6시간 간격으로 주사하여 치료할 수 있다.

6. 미주신경성 소화불량증(Vagus indigestion)에 대한 설명으로 가장 옳지 <u>않은</u> 것은?

① 위 내용물이 제1위 또는 제4위에 정체하게 된다.

② 치료를 하여도 큰 효과를 나타내지 않는 것이 특징이다.

③ 전해질 불균형을 보이지만 산-염기 불균형은 보이지 않는다.

④ 복부의 청타진에 의한 금속성음 또는 ping음으로 제4위 전위증과 감별진단 할 수 있다.

⑤ 제1위 절개술을 시행하여 제1위 내용물을 제거해준 후 수액요법을 병행하면 회복되는 경우도 있다.

7. 소의 준임상형 유방염에 대한 설명으로 옳지 <u>않은</u> 것은?

① 임상형으로 이행되기 직전의 감염상태이다.

② 준임상형 유방염 보다 임상형 유방염이 더 흔하게 발생한다.

③ 유량 감소가 현저히 보인다.

④ 유방의 육안적인 소견은 없다.

⑤ 유즙 내, 백혈구 수의 증가를 보인다.

8. 제1위 고창증에 대한 설명으로 옳지 <u>않은</u> 것은?

① 식도구(Esophageal groove)의 기능장애에 속발하여 고창증이 발생할 수 있다.

② 가장 특징적인 증상으로 복부팽창이 나타난다.

③ 입에 나무토막을 재갈모양으로 끼워주면 포말 제거에 도움이 된다.

④ Mineral oil과 같은 항포말제를 경구투여 또한 치료의 한 가지 방법이다.

⑤ 지속적인 사료 공급으로 포말을 터트려줘야 한다.

9. 소, 돼지, 말 등과 같은 대동물에서 발생하는 폐렴(Pneumonia)에 대한 설명으로 옳지 <u>않은</u> 것은?

① 소에서 다발하는 수송열의 대표적인 원인체는 Parainfulenza-3 만 존재한다.

② 돼지에서는 유행성 폐렴이 나타날 수 있으며 *Mycoplasma*속과 이차적으로 *Pasteurella*속의 혼합감염에 의한 합병증에 의해 발생한다.

③ Bordetella bronchiseptica에 의한 자돈 폐렴이 발병할 수 있다.

④ 말에는 폐렴의 원인이 많지 않지만 선역에 의한 화농성 폐렴 등이 나타날 수 있다.

⑤ 면양에서 *Pasteurella*속에 기인된 급성 원발성 폐렴은 어린 양에서 발생되나 보통 parainfluenza-3 바이러스 또는 *Chlamydia*속의 감염이 선행된다.

10. 반추동물에서 발생할 수 있는 요석증(Urolithiasis, Urinary Calculus)에 대한 설명 중 옳지 <u>않은</u> 것은?

① 배뇨실금, 방광의 확장 및 요도천공과 방광파열 등의 후유증을 수반시킬 수 있다.

② 결석 형성물질은 대부분 무기질이지만 때로는 유기질의 요 용질이 용액 중에 침전되어 형성된다.

③ 장기간 동안 서서히 일어나므로 핵을 중심으로 결석을 형성하는 일반적인 물리적 특성을 갖고 있다.

④ 농후사료를 먹지 못하는 방목 소에서 다발한다.

⑤ 조기에 거세한 동물은 늦게 거세한 동물에 비해 감수성이 더 큰 것으로 보고된다.

11. 개의 선천적 심장 기형 질환인 팔로4징후에 해당하지 <u>않는</u> 것은?

① Overriding aorta

② Right ventricular hypertrophy

③ Pulmonary stenosis

④ Ventricular septal defect

⑤ Aortic stenosis

12. 다음은 개와 고양이의 심근병증에 대한 설명이다. 옳지 <u>않은</u> 것은?

① 비대성 심근병증은 개보다 고양이에게 호발하는 질환이다.

② 확장성 심근병증은 12kg 이하의 견종에서 발병 빈도가 낮은 것으로 보고되어 있다.

③ 고양이의 확장성 심근병증은 taurine 결핍과 유의적인 관계가 있다.

④ 확장성 심근병증은 후부하의 증가, 비대성 심근병증은 전부하의 증가가 초기 병태생리로 작용한다.

⑤ 비대성 심근병증은 이완기 기능부전, 확장성 심근병증은 수축기 기능부전을 유발한다.

13. 실신(syncope)에 대한 설명으로 옳지 <u>않은</u> 것은?

① 실신은 뇌로 공급되는 산소 및 당분의 결핍에 의해 자세를 유지할 수 없고 의식이 소실되는 현상이다.

② 임상증상만 가지고 실신과 발작을 명확히 감별할 수 있다.

③ 주로 운동이나 흥분 직후 나타난다.

④ 실신은 후지의 허약, 횡와자세, 전지의 강직과 후궁반장, 배뇨 등을 임상증상으로 보일 수 있다.

⑤ 부정맥, 심실유출로 폐색, 선천적 심장결손 및 심박출량 저하를 유발하는 후천성 심장질환들이 심장원성 실신의 원인이 될 수 있다.

15. 개와 고양이의 호흡기 질환 진단방법에 대한 설명 중 옳지 <u>않은</u> 것은?

① 흉부 방사선으로 하부 호흡기 질환의 확진은 대부분 불가능하다.

② 기관세척 (Tracheal wash)은 기관경유 방법과 기관 내 기법이 있다.

③ 기관지폐포세척 (Bronchoalveolar lavage, BAL)은 산재성 폐질환 동물에 고려될 수 있으며, 기관지경 없이는 시행할 수 없다.

④ 세포학적 검사를 통해 염증, 감염, 알러지성 호흡기 질환을 감별할 수 있다.

⑤ 채취한 시료를 통해 세균, 진균 배양 및 PCR을 실시할 수 있다.

14. 8살령 시츄가 기침, 빈호흡 및 운동불내성으로 내원하였고, 청진상 심잡음이 확인되었다. 심장초음파상 이첨판 역류를 동반하는 경미한 좌심방 확장이 확인될 때, 가장 적절한 진단명은?

① DCM

② HCM

③ MMVD

④ VSD

⑤ PH

16. 7살령 포메라니안이 호흡 시 거위 울음소리를 내는 증상, 기침 및 호흡곤란으로 내원하였고, 기관지경을 실시하였을 때 다음 사진과 같았다. 이에 대한 설명으로 가장 적절하지 <u>않은</u> 것은?

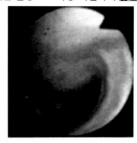

① 기관 허탈을 의심할 수 있다.

② 투시를 통해 기관허탈을 평가할 수 있다.

③ 기관기관지연화증으로 인해 기관지 허탈이 병발하였을 가능성이 있다.

④ 기침억제제는 초기에 필히 저용량으로 사용 후 증상에 따라 투여량 및 빈도를 늘려나간다.

⑤ 과도한 흥분이나 고열이 발생하지 않도록 관리가 필요하다.

17. 5살령 고양이가 만성 기침을 주증으로 내원하였다. 흉부방사선상 기관지패턴이 확인되며 기관기관지 세척을 실시하였을 때 호중구가 다수 관찰되었을 때, 가장 적절한 진단명은?

① Feline asthma
② Bronchial collapse
③ Lung neoplasia
④ HCM
⑤ Chronic bronchitis

18. 소장성 설사와 대장성 설사에 대한 설명으로 옳지 않은 것은?

	소장성 설사	대장성 설사
①	체중감소가 있을 수 있다.	체중감소가 드물다.
②	배변 횟수가 정상에 가깝다.	배변 횟수가 증가된다.
③	선혈변	흑색변
④	이급후증이 드물다.	이급후증이 가끔 나타난다.
⑤	다식 종종 보인다.	다식 드물거나 없다.

19. 개 파보 바이러스에 대한 설명으로 옳지 않은 것은?

① 장 융모의 붕괴로 인한 출혈성 설사가 나타난다.
② 분변을 통한 PCR 검사로 파보 바이러스 항원을 검출하여 진단할 수 있다.
③ 장 내 단백질 소실로 인한 저알부민혈증이 발생할 수 있으므로 수액 투여는 금기이다.
④ 약독화 백신을 6, 9, 12주째 접종하는 것이 권고된다.
⑤ 골수전구세포 손상 시 면역저하가 나타날 수 있다.

20. 5살령 레브라도 리트리버가 호흡곤란으로 내원하였는데, 방사선 사진 상 중등도의 위팽창 및 pylorus가 fundus의 전방으로 이동 및 그 사이에 연부조직 음영의 선이 확인되었다. 이에 대한 처치로 옳지 않은 것은?

① 자연적으로 회복하는 경우가 많으므로 쇼크 안정화 후 12시간을 기다려본다.
② 투관침을 이용한 위 감압을 진행한다.
③ 혈전 예방제를 투여한다.
④ 갈비뼈나 복막에 위고정술을 실시한다.
⑤ 위내 감압 후 수액처치를 실시한다.

21. 다음 중 사구체의 기능 평가와 관련된 설명으로 옳지 **않은** 것은?

① 혈청 Cystatin C는 개와 고양이의 사구체 여과율(GFR, glomerular filtration rate)을 평가하는데 가장 유용한 임상학적 진단 도구이다.

② 혈액요소질소(BUN, blood urea nitrogen)은 비신성(non-renal) 인자들의 영향으로 사구체 여과율 평가 지표로서 유용성이 제한적이다.

③ 비신성 요인들이 배제된 상태에서의 혈청 크레아티닌(serum creatinine)의 정상 범위 밖 수치 상승은 네프론의 약 75% 이상이 기능을 잃었다는 것을 의미한다.

④ SDMA(symetric dimethylarginine)는 혈청 크레아티닌에 비해 근육량이 적은 환자에서 사구체 여과율의 측면에서 더 유용한 지표가 될 수 있다.

⑤ SDMA(symetric dimethylarginine)는 고양이 만성 신부전(CKD) 환자에서 사구체 여과율이 정상 상태에 비해 40% 감소하였을 때, 혈중 농도가 정상 범위의 상한치에 도달한다.

22. 다음 중 요로 결석증과 관련된 설명으로 옳지 **않은** 것은?

① 요로 결석(urolithiasis)은 개와 고양이에서 흔하게 발견되는 비뇨기계 질환 중 하나이다.

② 하부 요로계 결석의 문제일 경우 빈뇨, 배뇨곤란, 혈뇨 등이 나타날 수 있다.

③ 상부 요로계 결석의 경우 요로 폐색에 따른 2차적인 급성 신장 손상과 관련된 증상이 나타날 수 있다.

④ 개와 고양이에서 가장 흔한 수산칸슘(calcium oxalte) 결석의 위치는 방광이다.

⑤ 다음 사진은 인산마그네슘암모늄(struvite) 결석이며, 해당 결석은 용해시킬 수 있는 방법은 없어 분출성 치료(expulsive therapy)가 일반적으로 지시된다.

23. 다음 중 배뇨 장애에 대한 설명으로 옳지 **않은** 것은?

① 요실금(urinary incontinence)은 중상화 하지 않은 암컷 개에서 흔하다.

② 이소성 요관(ectopic ureuers)는 어린 개에서 가장 흔한 요실금의 원인이다.

③ 이소성 요관이란 요관의 개구부가 정상 위치인 방광 삼각부가 아닌 다른 곳에 있을 때로 정의한다.

④ 이소성 요관의 진단은 컴퓨터 단층촬영(CT, computed tomography)으로만 가능하다.

⑤ 이소성 요관은 개에 비해 고양이에서는 매우 드물다.

24. 다음 중 동물의 간담도계 질환에 대한 설명으로 옳지 **않은** 것은?

① 개의 간 질환은 급성보다는 만성이 더 흔하다.

② 개의 간 질환은 대부분 섬유증과 간경화로 진행된다.

③ 개의 간 질환이 발생할 경우 임상증상이 매우 특이적이며 간 손상 초기부터 발견하기가 쉽다.

④ 고양이의 간 진환에서 섬유증과 간경화는 드물게 나타난다.

⑤ 간문맥전신단락(PSSs, portosystemic shunts)는 고양이보다 개에서 흔하게 나타난다.

25. 다음 사진이 나타내는 질병에 대한 설명으로 옳지 <u>않은</u> 것은?

① 해당 질병은 과도한 담즙색소 또는 빌리루빈으로 인해 조직과 혈청이 노랗게 변하는 상태로 정의한다.

② 해당 질병은 과다한 빌리루빈 증가나 담즙 정체가 있는 경우 발생할 수 있다.

③ 정상 동물에서 빌리루빈은 주로 노화된 백혈구에서 단백질 분해의 부산물이다.

④ 십이지장에 인접한 담관의 폐색은 담관 내강의 압력을 증가시키고 담즙 성분의 간내 세포 역류를 일으켜 해당 질환을 유발할 수 있다.

⑤ 해당 질병이 발생하더라도 간 질환이 무조건 발생하지는 않는다.

26. 10살령의 슈나우져가 아래의 사진과 같은 피부 증상을 보이며 동물병원에 내원하였다. 병력 청취를 실시하였을 때, 다음다뇨 현상과 다식현상을 보였으며 복부팽대가 관찰되었다. 칼슘침착에 의한 calcinosis cutis로 확인되었는데, 이때 가장 적절한 진단명은?

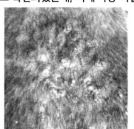

① 알러지성 피부염
② 갑상선기능항진증
③ 부신피질기능항진증
④ 전신성 과각화증
⑤ 에반스 증후군

27. 다음중 육아종성 뇌척수막염(GME)에 대한 설명으로 옳지 <u>않은</u> 것은?

① 개에서 흔하게 발생하는 자가면역성 질환이다.

② 뇌척수액 내 림프구, 단핵구 및 형질세포가 나타난다.

③ Disseminated multi focal 형태가 가장 흔하며 대뇌, 뇌줄기, 소뇌, 경부척수에 영향을 미치며 진행 속도가 빠르다.

④ 발작을 동반한 전뇌기능 이상이 나타나며, 치료 예후가 괴사성 뇌척수막염(NE)에 비해 매우 불량하다.

⑤ 치료는 면역억제제 및 글루코코르티코이드 약물을 주로 사용한다.

28. 8살령의 암컷 셔틀랜드쉽독이 잦은 혈뇨로 동물병원에 내원하였다. 신체검사 상 외부 생식기의 이상은 없었다. 초음파 검사 상 방광 삼각부위에 비정상적인 두께증가와 종괴로 추정되는 병변이 관찰되었다. 다음 중 가장 의심되는 질환은?

① Melanoma
② Mast cell tumor
③ Squamous cell carcinoma
④ Transitional cell carcinoma
⑤ Transmissible Venereal Tumor

29. 다음 중 개와 고양이에서 전형적으로 심각한 인슐린 내성을 야기하는 장애로 적절하지 않은 것은?

① 부신피질기능항진증
② 글루코코르티코이드 약물
③ 고양이 말단비대증
④ 프로게스테론 분비성 부신피질암종
⑤ 전신적인 광범위 항생제 투여

30. 다음 중 개의 갑상선기능저하증에 대한 설명으로 옳지 않은 것은?

① 코카스페니얼, 골든리트리버, 도베르만 핀셔 등 순종 품종에서 호발하는 특징이 있다.
② 소양감 없는 탈모, 거친 털, Rat tail, 농피증, Hyperpigmentation 등의 피부 임상증상이 나타나는 것이 특징적이다.
③ 임상병리학적 소견으로는 정구성 정색소성 빈혈, 고콜레스테롤혈증, 고트리글리세라이드, 당화단백 등이 나타난다.
④ 원발적인 원인이 많으며 갑상선에 Idiopathic atrophy와 같은 위축이 일어나는 경우가 많다.
⑤ 임상증상은 쿠싱증후군과 유사하며, 다음다뇨가 뚜렷하게 나타나므로 감별진단에 유의하여야 한다.

31. 2개월령의 야생 길고양이가 식욕결핍, 침울, 혈변 증상으로 동물병원에 내원하였다. 혈액검사 결과 현저한 빈혈, 혈소판감소증이 나타났고, 저체온 증상과 탈수도 나타났다. 이때, 다음 중 가장 의심되는 질병은?

① Feline infectious peritonitis
② Feline panleukopenia
③ Feline chlamydia
④ Feline calicivirus
⑤ Feline herpesvirus

32. 다음 중 개의 신경계 검사 중 보행의 평가, 사지운동의 속도, 보행, 강도에 변화가 있고 운동 거리 조절 이상이 특징적으로 나타나는 운동실조의 종류는?

① 전정계 운동실조
② 소뇌성 운동실조
③ 고유감각 운동실조
④ LMN 신경로 증상
⑤ UMN 신경로 증상

33. 발작 증상을 보이는 3살령의 수컷 고양이가 동물병원에 내원하였다. 발작 증상을 억제하기 위하여 항경련제를 투여하려고 하는데 이때, 고양이에게 빈맥 및 호흡곤란 부작용이 나타날 수 있어 추천되지 않는 항경련제는?

① KBr
② Midazolam
③ Gabapentin
④ Diazepam
⑤ Levetiracetam

34. 다음 중 면역매개성 혈소판감소증(IMT)에 대한 설명으로 옳지 않은 것은?

① 코출혈, 점상출혈, 출혈지반 등의 증상이 관찰된다.
② 면역매개성 용혈성빈혈(IMHA)과 함께 나타날 수 있다.
③ 지혈장애가 나타나므로 PT, aPTT의 시간이 증가하는 것으로 확진할 수 있다.
④ 고양이에서는 드물지만 개에서 자발적 출혈을 일으키는 가장 흔한 원인 중 하나이다.
⑤ 말초혈액 내 혈소판이 현저하게 감소하며, 이것은 혈소판과 mega-karyocyte에 대한 면역반응이다.

35. 다음 중 개의 자궁축농증에 대한 설명으로 옳지 않은 것은?

① 자궁축농증은 중년령-노령의 Intact female에서 가장 흔히 볼 수 있는 자궁 질환이다.
② 정상 질 세균총내 세균이 열려있는 경관을 통해 발정기 중에 자궁안으로 상행할 수 있고 E.coli가 가장 대표적이다.
③ Closed type은 질 분비물이 없고, 자궁내용물은 커지고 제시간에 치료되지 않으면 자궁 파열과 복막염의 위험이 증가한다.
④ 임상증상으로 식욕부진, 다음다뇨, 복부종대, 발열이 존재할 수 있고 패혈증, SIRS, DIC, 쇼크 등이 나타날 수 있다.
⑤ 자궁축농증의 내과적 치료법은 현재까지 효과적인 약물이 존재하지 않아, 외과적인 난소자궁절제술(OHE)만이 존재한다.

36. 다음 중 만성콩팥질환(CKD)에서 나타날 수 있는 전해질 불균형에 대한 설명으로 적절하지 않은 것은?

① 고나트륨혈증
② 대사성 산증
③ 저인산혈증
④ 저칼륨혈증
⑤ 고마그네슘혈증

37. 다음 중 림프종(Lymphoma)에 대한 설명으로 옳지 않은 것은?

① 림프절과 간, 비장에 주로 이환되는 악성 림프계 세포의 증식을 말하며 개와 고양이에서 가장 흔한 조혈계 종양이다.

② 개의 림프종은 대부분 Multicentric peripheral nodal이 해부학적 발생 위치이다.

③ 골수가 림프종에 침해되면 심한 말초 세포감소증이 발생하여 호중구 감소성 패혈증, 혈소판감소성 출혈과 빈혈이 관찰된다.

④ 단일 병소의 피부 림프종은 국소 수술이나 방사선 치료로 효과적으로 치료할 수 있지만, 전신 장기로 확산될 가능성이 높다.

⑤ 림프종의 진단 방법으로는 FNA보다는 영상 진단 검사가 표준 검사로 사용되며, CT 촬영으로 림프종의 임상 단계 분류가 가능하다.

38. 다음 중 진성 당뇨를 앓고 있는 개에 대한 설명으로 옳지 않은 것은?

① 진성 당뇨란 인슐린 형성 세포 부전 및 파괴로 인슐린이 분비되지 않아 절대적인 인슐린 부족으로 인한 당뇨를 말한다.

② 당뇨 환자의 혈청화학검사에서 고콜레스테롤혈증, 고나트륨혈증, 고칼륨혈증 등이 나타난다.

③ 시간에 따른 혈당곡선을 작성해야하며 Fructosamine 농도를 통해 당뇨 관리 모니터링을 해야 한다.

④ 인슐린 과량 투여시 저혈당으로 인한 보상성 효과로 급격히 혈당이 증가하는 Somogyi effect가 나타날 수 있다.

⑤ 초기 인슐린을 1일 2회 투여하고, 식이요법으로 적절한 단백질 및 지방 제한 식이를 급여해야 한다.

39. 다음 중 면역매개성 용혈성 빈혈(IMHA)에 대한 설명으로 옳지 않은 것은?

① 원발성 IMHA는 개에서 더 많고, 속발성 IMHA는 고양이에서 더 많이 발생한다.

② 적혈구 표면에 면역글로블린(Immunoglobulin)과 보체가 결합되어 적혈구가 파괴된다.

③ 혈액도말검사에서 자가응집반응이 확인되더라도, Coomb's test로 반드시 확정 진단을 진행해야 한다.

④ 1차적인 치료약물로는 Prednisolone을 사용할 수 있고 이에 대한 반응이 없으면 Azathioprine, Cyclosporine과 같은 면역억제제를 사용할 수 있다.

⑤ 빈혈이 심각해지면 수혈을 진행할 수 있고, 혈구의 파괴장소인 비장을 절제하여 면역반응을 감소시킬 수 있다.

40. 다음 중 빈혈 진단 시 재생성 빈혈을 구별하기 위해 확인해야 하는 세포로 가장 적절한 것은?

① Reticulocyte

② Eosinophil

③ Neutrophil

④ Poikilocyte

⑤ Acantthocyte

41. 다음 중 고나트륨혈증을 일으키는 질환과 상태에 대한 것으로 옳지 <u>않은</u> 것은?

① 갈증 반응 결함(시상하부 결함)

② 헐떡거림, 과환기 또는 발열

③ 중심성 또는 신원성 요붕증

④ 식염 중독

⑤ 저알도스테론증(hypoaldosteronism)

42. 다음 중 ALT(alanine transaminase)에 대한 설명으로 옳지 <u>않은</u> 것은?

① ALT는 당신생 과정이나 kreb cycle에 들어갈 수 있는 pyruvate를 알라닌의 탈아민 반응을 통해 형성하는 가역적 반응의 촉매작용을 하는 세포질 효소이다.

② ALT는 염증, 저산소증, 독성물질 등 간세포 손상이 일어났을 때 증가한다.

③ 개와 고양이에서 ALT는 간세포 손상의 주요 지표이다.

④ 말과 소에서 ALT는 간세포 손상의 주요 지표이다.

⑤ ALT는 GPT(glutamic pyruvic transaminase)로 표기되기도 한다.

43. 다음 중 ALP(alkaline phosphatease)에 대한 설명으로 옳지 <u>않은</u> 것은?

① ALP는 GOT(glutamic oxaloacetic transaminase)로 표기되기도 한다.

② ALP는 간내성 또는 간후성 감즙정체 시 상승할 수 있다.

③ ALP는 골모세포의 활성이 떨어질 경우 하락할 수 있다.

④ 개에서 ALP 활성은 황달이 일어나기 전에 증가하는 경향을 보인다.

⑤ 고양이에서 ALP 활성이 증가하기 전에 황달 증세가 먼저 나타난다.

44. 다음 중 부신겉질의 호르몬에 대한 설명으로 옳지 <u>않은</u> 것은?

① 시상하부로부터 생성된 CRH(corticotropin releasing hormone)는 뇌하수체의 ACTH(adrenocorticotropic hormone)와 다른 호르몬들의 생산과 분비를 촉진한다.

② 부신겉질자극호르몬(ACTH)는 부신으로부터 코르티솔, 알도스테론과 다른 스테로이드 화합물의 생산과 분비를 촉진한다.

③ 코르티솔 시료로는 혈청이나 EDTA-혈장이 사용되며 농도는 차가운 시료(20℃)보다 따뜻한 표본(37℃)에서 더 안정적이다.

④ ACTH 시료로는 EDTA-혈장이 선호되며 ACTH가 유리에 부착하기 때문에 시료는 유리와 접촉해서는 안된다.

⑤ 기능적인 부신겉질 종양(adenoma, adenocarcimona)의 경우 고코르티솔혈증을 유발할 수 있다.

45. 다음 중 체강 내 유출액에 대한 설명으로 옳지 <u>않은</u> 것은?

① 유출물은 체공간 또는 체강 내에 액체가 축적된 것이다.

② 복수는 장막강(특히, 복막강) 내에 축적된 액체이다.

③ 누출액은 모세혈관계 내에서 일어난 교질삼투압 또는 수압의 변화와 같은 기계적인 요소들의 변화에 의해 생산되는 유출액이다.

④ 삼출은 구멍을 통해 삼출되는 것이다.

⑤ 삼출액은 염증으로 인해 혈장단백질의 혈관 투과성 감소에 의해 생산되는 유출액이다.

46. 다음 중 재생성 빈혈에서 적혈구가 재생되는 증거로 적절하지 <u>않은</u> 것은?

① Reticulocytosis

② Anisocytosis

③ Polychromasia

④ Howell Jolly body

⑤ Microcytosis

47. 다음 중 스트레스 소견과 만성염증이 있는 동물의 혈액검사에서 주로 나타날 수 있는 결과로 적절하지 <u>않은</u> 것은?

① 혈소판 증가

② 단핵구 증가

③ 호산구 감소

④ 림프구 감소

⑤ 호중구 증가

48. 다음 중 혈액 응고와 관련된 설명으로 옳지 <u>않은</u> 것은?

① 1차 응고는 혈소판, vWF, 혈관 내피 등이 관여한다.

② 2차 응고는 응고인자가 관여하여 최종적으로 fibrin을 형성한다.

③ 3차 응고는 섬유소가 용해되거나 섬유소응괴의 파괴가 일어난다.

④ 1차 응고 이상시 BMBT 시간이 지연되고, 반상출혈, 점상출혈 등이 소량으로 체표에 나타난다.

⑤ 2차 응고 이상 시 aPTT, PT는 정상이며, 후천적 섬유소 용해의 이상으로 대표적으로 DIC가 있다.

49. 동물병원에 아세트아미노펜을 과량 섭취한 고양이가 내원하였다. 혈액 도말 검사상 아래와 같은 비정상적인 적혈구를 다수 관찰하였다. 용혈성 빈혈 혹은 산화적 손상이 있는 환자에서 관찰할 수 있는 이것은 무엇인가?

① Heinz body
② Siderocyte
③ Eccentrocyte
④ Rouleaux formation
⑤ Ghost red blood cell

50. 다음 중 혈구모세포 중 Lymphoid progenitor cell로부터 분화되는 세포로 적절하지 않은 것은?

① T cell
② B cell
③ Mast cell
④ Plasma cell
⑤ Natural killer cell

51. 다음 사진은 어떤 매듭에 대한 과정인가?

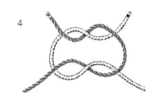

① Square knot
② Granny knot
③ Quick-release knot
④ Bowline knot
⑤ Miller's knot

52. 다음 사진은 어떤 발굽 질환을 나타낸 것이다. 체중부하 증가, 발가락 기형으로 발생할 수 있는 질환은 무엇인가?

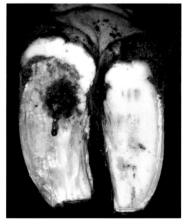

① Sand crack
② Sole ulcer
③ Whiteline abscess
④ Interdigital hyperplasia
⑤ Heel erosion

53. 제각(Dehorning)을 하기 위해 마취를 해야하는 신경은 무엇인가?

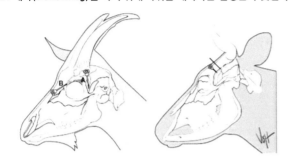

① Vagus nerve
② Optic nerve
③ Hypoglossal nerve
④ Cornual nerve
⑤ Accessory nerve

55. 오른쪽 허구리 절개술로 접근이 불가능한 것은?

① 방광
② 오른쪽 신장
③ 비장
④ 대장
⑤ 제4위 유문부

54. 소의 제4위 전위증을 교정하는 방법이 아닌 것은?

① Rolling 법
② Toggle pin / Bar suture
③ 그물막 고정술
④ 제4위 고정술
⑤ 결장 고정술

56. 젖소의 왼쪽에서는 ping음이 들렸으나 오른쪽에서는 들리지 않았다. 가장 가능성 있는 질병은 무엇인가?

① 제4위 우측전위
② 제4위 좌측전위
③ 소장 팽창
④ 자궁내막염
⑤ 비장 종대

57. 미주신경성 소화불량(Vagal indigestion)은 크게 4가지 type으로 구분할 수 있다. 다음 중 나머지 type과 다른 하나는?

① 식도 폐쇄
② 제4위 염전
③ 제4위의 오른쪽 전위
④ 제4위의 왼쪽 전위
⑤ 제4위 식체

58. 산업동물에서 호흡기 질병에 대한 설명으로 옳지 않은 것은?

① 깨끗한 환경과 맑은 물을 제공해야한다.
② 호흡중추 억압이 의심되면 이산화탄소가 효과적이다.
③ 적절한 환기를 해주고 알맞은 온도를 유지시켜줘야 한다.
④ 점성이 있는 분비물이 있을 때, 거담제 사용이 효과적이다.
⑤ 전염성 호흡기 질병이 의심되면 개체마다 항생제 치료를 해주는 것이 좋다.

59. 다음 중 고압증기멸균(Autoclave)에 대한 특징으로 옳지 않은 것은?

① 사용 시 화상을 입지 않도록 주의해서 장비를 사용해야 한다.
② 빠른 작용시간과 더불어 무독성이다.
③ 열과 습도에 민감한 물품에 안전하게 사용할 수 있다.
④ 사용 방법이 비교적 쉬운편이다.
⑤ 포장과 내강을 침투할 수 있는 특징이 있다.

60. 수술 전 스크럽(Surgical scrub)에 사용되는 일반적인 향균성 비누 중 Chlorhexidine gluconate에 대한 특성으로 옳지 않은 것은?

① 그람 음성균이나 곰팡이보다 그람 양성균에 더 효과적이지만 광범위하게 적용된다.
② 살바이러스제이다.
③ 각질과 결합하여 잔류 작용이 있다.
④ 유기물에 의해 불활성화 되지 않는 특성이 있다.
⑤ Iodophors에 비해 피부 자극이 더욱 심하므로 세척 시 더욱 주의가 필요한 성분이다.

61. 다음 그림에 나타난 외과 도구를 쥐는 grip 중 하나를 나타낸 것이다. 강한 추진력을 제공하지만 다른 grip법에 비해 정확성이 떨어지는 이 grip법을 무엇이라 하는가?

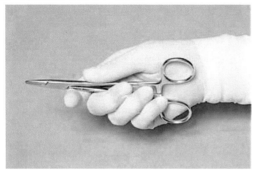

① Palmed grip
② Thenar grip
③ Thumb-ring finger grip
④ Pencil grip
⑤ Palmed ring finger grip

62. 매듭(Knot)은 봉합에서 가장 약한 부분이다. 부정확한 매듭은 절개부의 열개(Dehiscence)를 유발할 수 있기 때문에 정확한 매듭을 만드는 것이 중요하다. 다음 〈보기〉중 부정확한 매듭으로 모두 짝지어진 것은?

〈보기〉
가. Square knot
나. Granny knot
다. Half-hitch knot
라. Tumbled knot
마. Surgeon's knot

① 가, 나, 다
② 가, 나, 마
③ 나, 다, 라
④ 나, 다, 마
⑤ 다, 라, 마

63. 피부의 상처 치유 과정은 염증기, 이물제거기, 복구기 및 성숙기의 4단계를 통해 이루어진다. 다음 중 피부 상처 치유 과정에 대한 설명 중 옳지 않은 것은?

① 염증기에는 혈관의 투과도가 증가하고, 세포 활성이 증가한다.
② 이물제거기 동안 백혈구와 사멸조직으로 구성된 상처 삼출물과 상처액이 상처에 형성되며 백혈구가 사멸하면서 호중구의 숫자는 2~3일간 감소한다.
③ 복구기는 보통 손상 후 3~5일에 시작된다.
④ 복구기에 새로운 모세혈관, 섬유모세포 및 섬유 조직이 어우러져 밝은 선홍색의 신선한 육아조직을 형성한다.
⑤ 성숙기는 흉터의 변화로 인해 상처 장력이 최고치에 달한다.

64. 귀 수술을 진행할 때 주의해야할 점으로 옳지 않은 것은?

① 중이염이나 내이염일 경우 머리기울임과 눈떨림 균형소실 등의 증상이 나타날 수 있다.
② 전체귀길제거술(Total ear canal ablation)은 내과 처치에 반응을 보이지 않는 만성 외이염 환자나 귀 연골의 심한 석회화와 골화를 보이는 경우 시행할 수 있다.
③ 가쪽귀길절제술(Lateral ear canal resection)은 배액을 좋게하고 귀길 환기를 개선할 수 있는 수술법이다.
④ 고막이 파열된 경우에도 0.2% 이상의 chlorhexidine 용액, 희석되지 않은 iodine, iodophors, aminoglycoside 계열 항생제를 사용할 수 있다.
⑤ 귀 수술을 하는 동물에는 수술 전 항생제가 권장되며 심한 감염은 감염부위에 따라 전신 및 국소 항생제를 모두 처치해야 한다.

65. **식도 수술에 대한 일반 원칙 및 기법에 대한 설명 중 옳지 않은 것은?**

① 식도 장애가 있는 동물의 수술 전 어린 개체는 4~8시간, 성숙 동물에서는 12~18시간의 금식이 필요하다.

② 식도 천공이 의심된다면 수성의 황산 바륨이 아닌 iodine 조용제를 사용이 추천된다.

③ 식도 수술을 진행할 때 식도의 절개는 세로로 진행한다.

④ 식도를 봉합할 때 첫 번째 층은 점막과 점막밑층을 포함시켜야 한다.

⑤ 식도, 갑상샘, 되돌이후두신경, 목혈관신경집의 접근을 위해서는 왼쪽으로 기관을 견인해야 한다.

66. **위확장-꼬임(Gastric dilatation volvulus, GDV)에 대한 설명 중 옳지 않은 것은?**

① 위가 가스나 체액이 내강에 축적되어 점차 확대되는 질병이다.

② 덩치가 작고 흉곽이 좁은 종인 말티즈, 미니어쳐 푸들, 비숑 프리제 등의 소형견과 고양이에서 다발한다고 보고되어 있다.

③ 일반적으로 수술자의 입장에서 개가 ventral recumbency 상태로 누워있을 때, 위가 시계방향으로 회전되는 경우가 많다.

④ GDV 진단을 하기 위한 방사선 촬영 자세는 우측 외측상과 등배쪽 촬영을 하는 것이 추천된다.

⑤ 환자 안정을 위해 수액 처치를 위해서는 경정맥이나 양쪽 노뼈측피부 정맥에 카테터를 장착해야 한다.

67. **간 생검을 진행할 때 주의해야할 사항으로 옳지 않은 설명은?**

① 간 생검 이후 출혈을 대비하기 위해 생검을 진행할 때 가능한 가는 게이지의 바늘을 사용하는 것이 추천된다.

② 약 2cm 가량의 샘플을 2~3개 채취해야 한다.

③ 생검 바늘이 정맥, 위, 창자, 가로막, 폐, 심장을 찢지 않도록 매우 조심해야 한다.

④ 복강경을 통한 간생검은 경피생검을 실시할 때보다 훨씬 양호한 조직 표본을 획득할 수 있다.

⑤ 초음파를 유도하여 생검을 진행할 수 있으며 초음파선에 평행으로 주입된 바늘은 효과적인 영상을 생성하지 못하므로 바늘을 비스듬히 주입하는 것이 매우 중요하다.

68. **비장 수술에 대한 설명 중 옳지 않은 것은?**

① 비장 생검이나 비장 절제술 후 출혈이 있는지 24시간 동안 환자를 주의깊게 살펴야 한다.

② 내과 치료에 반응이 없는 면역매개 용혈성 빈혈 혹은 혈소판감소증에 이환된 일부 개에서 지라절제술이 우수한 효과를 보일 수 있다.

③ LigaSure는 7cm 이하 혈관의 지혈에 사용할 수 있다.

④ 비장 수술 전 비장 내 울혈 유발을 방지하기 위해 수술 전 반드시 barbiturate를 사용해야한다.

⑤ 빈혈 환자에서 저혈압, 혈소판 기능저하 등을 일으키는 acepromazine의 사용이 금기시된다.

69. 방광과 요도에 존재하는 결석에 대한 수술을 진행에 대한 설명 중 옳지 않은 것은?

① 요도 돌을 다시 방광으로 이동시키기 위하여 역수압추진법 (retro-hydropropulsion)을 시행해볼 수 있다.

② 방광절개술을 실시할 때까지 요도카테터를 유지하는 것이 추천된다.

③ 수의학에서의 레이저를 통한 쇄석술은 개체의 크기가 작아서 성공률이 매우 낮아 시행이 금기시되고 있다.

④ 방광절개술에 관련된 합병증은 흔하지 않지만 오줌 누출이 발생할 수 있다.

⑤ 요로돌증의 재발률이 12~25%정도이므로 재발이 되지 않기 위해 술후 내과 처치를 통해 재발을 예방하는 것이 중요하다.

70. 암컷 중성화에 대한 설명으로 옳지 않은 것은?

① 중성화는 최대한 빠른 시일 내인 4주령 이하의 개와 고양이에서 실시하는 것이 추천된다.

② 난소자궁절제술을 3개월 이하의 암캐에서 실시하면 요실금 위험이 높아져 주의가 필요하다.

③ 자궁축농증을 치료하기 위해 난소자궁절제술이 지시되기도 한다.

④ 수술 중 난소걸이인대(Suspensory ligament)를 찢어야 한다.

⑤ 자궁넓은인대(Broad ligament)를 자궁뿔로부터 분리하며 혈관이 많은 경우에는 집게로 잡고 결찰해야 한다.

71. 다음 중 동맥관열림증(Patent ductus arteriosus, PDA) 수술에 대한 설명으로 옳지 않은 것은?

① PDA의 type은 I, IIA, IIB, III로 구분할 수 있으며 동맥관의 벽이 평행하게 진행하다가 폐동맥의 입구에서 갑자기 줄어드는 Type IIA가 가장 흔하다.

② PDA의 외과적 교정을 위해 혈관내 코일, vascular plugs, duct occluder 등을 사용해볼 수 있다.

③ 목동맥을 통한 코일 색전술, 넙다리정맥을 통한 정맥 경유 접근법이 시행될 수 있다.

④ 수술 중 조영제를 투여함으로써 동맥관 폐쇄에 대한 평가를 진행할 수 있다.

⑤ 동맥관을 결찰하는 동안 때때로 빈맥이 발생할 수 있으므로 주의해야 한다.

72. 내과적으로 치유되지 않는 기관허탈은 수술적 교정을 시행해볼 수 있다. 다음 중 기관허탈에 대한 설명 중 옳지 않은 것은?

① 환자가 기관허탈에 대한 임상증상을 보이고 허탈이 40% 정도일 때 반드시 외과적 교정이 필요한 시점이다.

② 수술적 교정 방법은 기관 밖 고리 인공삽입(ring prosthesis)과 속 공간 내 stent 적용이 일반적이다.

③ Stent 적용술은 어느 위치에서나 가능하고 혈관이나 신경 손상 위험이 적다.

④ 술후 염증, 부종, 후두마비에 의한 호흡곤란이 발생할 수 있으므로 주의가 필요하다.

⑤ 술후 운동제한을 철저히 해야하며 산책 시 목줄 대신 몸통줄을 사용하는 것이 추천된다.

73. 다음 중 흡입마취제와 관련하여 최소폐포농도(minimum alveolar concentration, MAC)의 설명으로 옳지 않은 것은?

① 최소폐포농도(MAC)값은 일반적으로 통증자극에 노출된 환자의 50%가 반응하지 않는 한가지 마취제의 폐포 내 최소 농도로 정의한다.

② 대부분 동물은 0.0 MAC이 될 때까지 마취 상태에서 깨어나지 않는다.

③ 2.0 MAC은 깊은 마취를 유발한다.

④ 나이든 동물은 상대적으로 더 적은 흡입마취제가 필요하다.

⑤ 개에서 마취 약물의 최소폐포농도를 비교하면 Isoflurane, Sevoflurane, Desflurane 순서대로 MAC이 크다.

74. 다음 중 기관 삽관과 기도 확보와 관련된 설명으로 옳지 않은 것은?

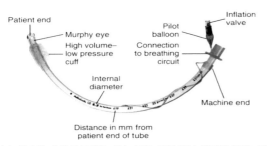

① 기관 삽관은 흡입마취제와 산소 등을 제공하여 환자의 환기 상태를 촉진하기 위해 실시한다.

② 기관 튜브 삽관 전 pilot ballon과 연결된 cuff의 공기를 제거한 이후 삽관한다.

③ Murphy eye는 patient end가 막혔을 경우 환기를 돕는다.

④ 삽관 시 후두경을 이용하여 후두부를 보면서 삽관한다.

⑤ 마취 종료 이후에는 기관 튜브를 즉시 발관한다.

75. 다음은 마취 중 환자 감시를 위한 혈압 측정 방식 중 하나이다. 다음 방식에 대한 설명으로 옳지 않은 것은?

① 해당 장비 및 방법을 통해 수축기 혈압은 측정이 가능하지만 평균혈압과 이완기 혈압의 측정은 불가능하다.

② 해당 장비 및 방법은 침습적인 동맥 혈압 감시 방법(IBP, Invasive blood pressure)에 비해서는 정확도가 다소 떨어질 수 있다.

③ 해당 장비 및 방법을 통해 심박수 측정 가능하다.

④ 측정된 혈압의 평균 압력이 60 mmHg 미만인 경우 비정상적인 상태를 의심해볼 수 있다.

⑤ 해당 장비 및 방법은 공기로 부풀려지는 차단 cuff를 다리 말단이나 꼬리의 기저부에 장착하여 동맥 맥박(진동)을 측정하는 방법이다.

※ 확인 사항

답안지의 해당란에 필요한 내용을 정확히 기입(표기)했는지 확인하시오.

Memo

76. 다음 중 동물의 눈 수술에 대한 설명으로 옳지 <u>않은</u> 것은?
① 안구돌출증(proptosis)은 눈이 눈확(안와) 바깥으로 변위된 것이다.
② 안구적출술(enucleation)은 안구, 셋째눈꺼풀, 눈확샘(안와선, orbital gland), 눈꺼풀가장자리(안검연)을 제거하는 수술이다.
③ 눈꺼풀속말림(눈꺼풀내번증, entropion)은 눈꺼풀이 안쪽으로 말려들어간 것이다.
④ 동물의 안과 수술에서는 신경근 차단제를 자주 이용한다.
⑤ 동물의 안과 수술에서 마취 유도 시 안압을 증가시키는 방법으로 주로 사용한다.

77. 다음 중 동물의 눈 수술에 대한 설명으로 옳지 <u>않은</u> 것은?
① 안구적출 시에는 진통목적으로 국소마취를 병행하기도 한다.
② 안과 수술을 받는 동물들에게 수술 전 후 항생제를 투여하여야한다.
③ 각막 천공 시에는 액체보다는 연고로 된 안약을 사용한다.
④ 각막 찢김이나 각막 천공의 내과 치료는 항생제와 atropine 점안, 전신 항생제 투여로 이루어진다.
⑤ 각막 버팀질의 50%이상이 찢겨있을 경우 수술 현미경하에서 수술을 진행해야한다.

78. 다음 중 셋째눈꺼풀샘탈출증 대한 설명으로 옳지 <u>않은</u> 것은?
① 샘염(adenitis), 근막의 부착이상 등과 관련이 있을 수 있다.
② 일차적인 염증, 종양, 과다형성(hyperplasia)이 원인이 된다.
③ 탈출된 셋째눈꺼풀샘은 마모되고 건조해져서 2차 염증 및 부종을 일으키게 된다.
④ 해당 질병은 cherry eye로 알려져있다.
⑤ 고양이보다 개에서 주로 발생한다.

79. 다음 중 그림이 나타내는 수술이 필요한 질병 및 상태와 관련한 설명으로 옳지 <u>않은</u> 것은?

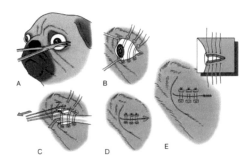

① 외상으로 인해 안구가 앞쪽으로 변위되어 안구 뒤쪽에 눈꺼풀이 위치할 때 해당 수술을 진행할 수 있다.
② 단두종(brachycephalic)보다 장두종(dolichocephalic)에서 주로 발생한다.
③ 사시(strabismus)가 함께 발생할 수 있다.
④ 부종 감소를 위해 술후 첫 날에는 냉찜질을, 이후 며칠 동안은 온찜질을 하루에 3~4회 실시한다.
⑤ 안구의 근육손상, 정맥울혈, 결막부종, 결막하출혈, 각막궤양 등이 발생할 수 있다.

80. 다음은 결막판 수술과 관련된 그림이다. 해당 항목에 대한 설명으로 옳지 <u>않은</u> 것은?

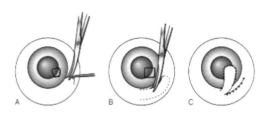

① (A) - 안과용 집게로 각공막가장자리(limbus)에서 2 mm 정도 떨어진 부분의 결막을 들어올린다.

② (B) - 힘줄절개가위로 절개하여 결막판을 준비한다.

③ (C) - 결막판을 들어올린 후 회전시켜 각막 병변부를 결막판으로 덮는다.

④ (C) - 각공막가장자리와 결막판의 가장자리가 서로 맞닿는 곳에서 총 두 번 봉합을 하는데 이때 각공막가장자리 깊이의 절반 이상을 통과해야한다.

⑤ (C) - 각막과 닿는 나머지 부분의 결막판은 연속봉합(continuous suture) 한다.

81. 환자의 정형적 및 신경학적 이상 여부 확인을 위해 신체검사를 진행하게 된다. 다음 중 옳지 <u>않은</u> 설명은?

① 정형외과 질환이 있는 동물을 마취하기 전에 전신적인 건강상태를 평가하는 것이 중요하다.

② 정형외과 질환이 있는 동물은 보행이 불편하여 신체검사 시 반드시 누워있는 상태에서 환자 상태를 평가해야 한다.

③ 어린 개에서 흔히 관찰되는 형성이상에는 무릎관절과 정강발목 관절의 과다폄이 포함되며 이러한 이상은 고관절 형성이상이나 무릎관절과 뒷발목관절의 뼈연골염(골연골염, OCD)과 연관된다.

④ 보행분석을 통해 환자를 움직이게 하면서 경험으로 보행이상의 범주를 감별하는 것이 중요하다.

⑤ 검사 진행 중 환자가 불편해 하여 철저한 검사를 시행할 수 없다면 과도하게 속박시키지 않는 것이 바람직하다.

82. 다음 그림은 환자의 어떤 정형 질환을 평가하기 위한 검사인가?

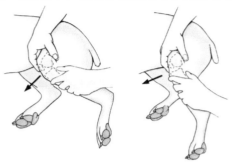

① 십자인대 손상 여부 확인

② 슬개골 탈구 여부 확인

③ 넙다리 뼈 골절 여부 확인

④ 고관절 이형성 여부 확인

⑤ 장딴지근 파열 여부 확인

83. 다음 그림은 환자의 엉덩관절이 이완되어 있는지 검사하기 위해 환자를 옆으로 누운자세로 위치시키고 양손을 사용하여 상태를 평가하는 검사이다. 이 검사법의 이름은 무엇인가?

① 전위검사(Drawer test)

② 정강뼈압박검사 (Tibial compression test)

③ Barden 검사 (Barden test)

④ Ortolani 조작 (Ortolani maneuver)

⑤ 아킬레스건 검사 (Achilles tendon complex test)

84. 정형외과 환자는 수술 전, 중, 후 통증 관리 또는 마취가 필요한 경우가 있다. 다음 중 옳지 않은 설명은?

① 정형외과 환자는 수술 전, 수술 중, 수술 후 진통제의 도움이 필요하다.

② 수술 전 진통제를 선택하기 위해 수술 후 불편함의 정도와 기간을 평가해야 한다.

③ 심혈관계 질환이 동반된 정형외과 환자에서는 마취에 주의가 필요하다.

④ 국소마취제를 사용한 앞다리신경얼기(brachial plexus)는 앞다리 수술을 해야하는 환자에게 추가 진통과 근육 이완을 제공한다.

⑤ 경막외 마취(lidocaine, bupivacaine)와 전신마취 혼용법은 일시적으로 뒷다리 근육을 수축시켜 골반, 넙다리뼈, 정강뼈의 골절 정복을 쉽게할 수 있도록 한다.

85. 다음 그림은 골절에 대한 일시적 고정을 위해 다리에 적용하는 splint(부목)의 한 종류이다. 이 splint의 이름은 무엇인가?

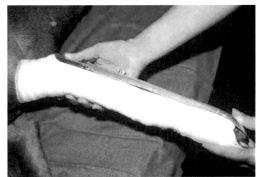

① Robert Jones splint

② Thumb spica splint

③ Spoon splint

④ Sugar tong splint

⑤ Cock-up splint

86. 골절 평가 점수 매기기(Fracture assessment scoring)에 대한 설명 중 옳지 않은 것은?

① 기계적 인자, 생물학적 인자, 임상적 인자를 종합하여 평가한다.

② 골절평가점수 1부터 10까지 매기며 일반적으로 높은 점수(8~10), 중간 점수(4~7), 낮은 점수(1~3)로 구분한다.

③ 골절평가점수가 높을수록 골절의 치유 가능성이 낮다고 평가하는 방식이다.

④ 생물학적 평가를 통하여 얼마나 신속하게 애벌뼈가 형성될 것인지 판단하고 이를 통하여 뼈를 지지하기 위한 이식물을 얼마동안 장착해야 하는지 간접적으로 결정하게 된다.

⑤ 환자의 협조도는 임상적 인자로 포함될 수 있다.

87. 다음 중 갯솜뼈 자가이식(Cancellous autograft)에 대한 설명 중 옳지 않은 것은?

① 최적의 뼈형성, 뼈유도, 뼈전도 특성과 비면역원의 특성을 갖추고 있는 뼈이식 방법이다.

② 환자의 체중, 나이에 상관없이 갯솜뼈 채취는 무조건 가능하다.

③ 골절 부위에서 뼈의 형성을 촉진하기 위하여 추천되는 방법이다.

④ 이식편을 채취하기 위하여 추가적인 수술 시간이 요구되는 단점이 있다.

⑤ 갯솜뼈는 모든 긴뼈의 뼈몸통끝에서 채취할 수 있지만 몸쪽 앞다리위뼈(proximal humerus), 몸쪽 정강뼈(proximal tibia), 먼쪽 넙다리뼈(distal femur), 엉덩뼈 날개(iliac wing) 등이 접근이 쉬우며 다량 채취할 수 있어 많이 사용된다.

88. 다음 사진은 골절 수술을 위해 사용할 수 있는 뼈판(Plates) 중 한 종류이다. 이 뼈판의 명칭은 무엇인가?

① Reconstruction plate
② Angled plate
③ Locking Compression Plate (LCP)
④ Dynamic Compression Plate (DCP)
⑤ Limited-Contact Dynamic Compression Plate (LC-DCP)

89. 관절 윤활액 채취를 위해 관절천자를 시행할 수 있다. 다음 중 관절 천자를 위해 추천되는 부위가 <u>아닌</u> 것은?

① 앞발목관절 : 관절을 구부려 중간 앞발목 관절 안 또는 노뼈쪽 앞발목 관절안의 머리안쪽면을 촉진하고 이 부위로 바늘을 삽입한다.
② 어깨관절(가쪽 접근) : 어깨뼈봉우리돌기의 바로 먼쪽에 바늘을 삽입한다.
③ 어깨관절(앞쪽 접근) : 큰 결절의 바로 안쪽과 어깨뼈 관절위결절의 배쪽을 향하도록 바늘을 삽입한다.
④ 뒷발목관절(가쪽 접근) : 관절을 부분적으로 굽힌 상태에서 종아리 가쪽 복사뼈 아래쪽으로 바늘을 삽입한다.
⑤ 엉덩관절 : 다리를 모은 후 바깥쪽으로 회전시켜 바늘을 큰돌기의 등쪽에서 배쪽과 뒤쪽으로 각을 주면서 삽입한다.

90. 엉덩관절 형성이상이 발생하였을 경우 우선 내과적 처치를 시행해 볼 수 있으나 치유되지 않으면 여러 수술적 교정을 시도해볼 수 있다. 다음 중 엉덩관절 형성이상에 시행할 수 있는 수술적 교정에 대한 설명으로 옳지 <u>않은</u> 것은?

① 전체엉덩관절치환술(Total hip replacement, THR)은 훈련받지 않은 외과의가 시행해도 부작용이 잘 발생하지 않아 항상 추천된다.
② THR 수술은 시멘트를 사용하는 수술과 시멘트를 사용하지 않는 수술로 구분할 수 있다.
③ 골반뼈자름술에는 이중골반뼈자름술(Double pelvic osteotomy, DPO), 삼중골반뼈자름술(Triple pelvic osteotomy)가 있다.
④ 넙다리뼈머리와 목 절제술(Femoral head and neck osteoctomy, FHNO)는 넙다리뼈머리와 절구 사이의 뼈 접촉을 제한하고, 섬유성 거짓관절을 형성시키게 하는 수술법이다.
⑤ 많은 어린 환자의 경우 자라면서 엉덩관절 형성이상이 개선될 수 있으니 FHNO는 어린 동물에 시행하기 전 주의를 해야한다.

91. 다음 방사선 사진 촬영에 대한 설명 중 옳지 <u>않은</u> 것은?

① 방사선 투과도가 높으면 검게 영상화된다.
② 촬영하고자 하는 부위의 두께에 따라 촬영조건을 조절해야 한다.
③ 관심영역에 맞추어 조사범위를 조절한다.
④ 조사범위의 가쪽일수록 왜곡이 덜하다.
⑤ 촬영한 영상은 PACS (Picture archiving communication system)를 통해 전송, 저장, 검색, 판독할 수 있다.

92. 다음은 후지파행으로 내원한 10살령 레브라도 리트리버의 방사선 사진이다. 가장 적절한 진단명은?

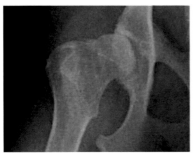

① Osteosarcoma
② LCPD
③ Hip dysplasia
④ Pelvic bone fracture
⑤ IVDD

93. 다음은 이첨판 이형성증을 진단받고 약물관리를 하고 있던 환자가 기침증상으로 내원하여 촬영한 외측상(A)과 배복상(B, C)방사선 사진이다. 이에 대한 설명으로 옳지 않은 것은?

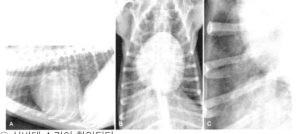

① 심비대 소견이 확인된다.
② 외측상 폐야의 caudodorsal 부분 음영이 증가하였다.
③ 배복상 폐야 우측 중엽 및 후엽 영역의 음영이 증가하였다.
④ 기관지 패턴이 두드러지게 확인된다.
⑤ 심인성 폐수종 (CPE, Cardiogenic pulmonary edema)으로 인한 폐패턴일 가능성이 고려된다.

94. 복부 방사선 사진 상으로 장막면 영상화 (serosal surface visualization)의 감소가 확인될 때, 고려할 수 있는 원인으로 옳지 않은 것은?
① 비만
② 복수
③ 복강 내 종양
④ 잘못된 촬영조건
⑤ 어린 동물

95. 다음 개의 초음파 영상에서 고에코의 신장 내 결석의 뒤로 확인되는 초음파 허상은?

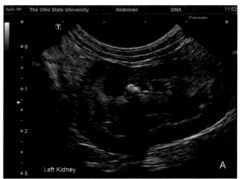

① Comet tail artifact
② Reverberation artifact
③ Twinkling artifact
④ Acoustic enhancement
⑤ Acoustic shadowing

96. 건강한 개의 복부 초음파 상 간, 비장, 신장에 대한 설명 중 옳지 않은 것은?

① 초음파 상 비장은 간보다 에코가 높다.

② 초음파 상 신장은 비장보다 에코가 높다.

③ 초음파 상 간은 비장보다 coarse한 에코를 가진다.

④ 스테로이드 복용 후, 초음파 상 간이 이전보다 fine한 에코로 나타날 수 있다.

⑤ 초음파 상 간과 신장간의 직접적인 에코 비교는 명확하지 않아, 각 장기를 비장과 비교한다.

97. 다음 중 방사선 및 초음파 상 신장 크기에 대한 설명 중 옳지 않은 것은?

① 방사선 상 신장의 크기를 평가할 때는 신장 음영의 장축과 2번 요추의 추체 길이를 비교한다.

② 초음파 상 신장의 크기를 평가할 때는 시상단면에서 보이는 신장의 장축과 배대동맥의 직경을 비교한다.

③ 신장의 크기가 정상보다 작을 경우 급성 신부전을 의심할 수 있다.

④ 신장의 크기가 정상보다 클 경우 수신증, 농신증 등을 의심할 수 있다.

⑤ 방사선 상 신장의 장축/2번 요추 길이의 정상범위는 2.5 - 3.5이다.

98. 다음 설명에 가장 부합하는 영상 촬영 장비를 고르시오.

> 가. 방사선 발생 장치이다.
>
> 나. 단층 촬영을 통해 다양한 평면의 3D 이미지를 얻을 수 있다.
>
> 다. 조영 촬영을 함께 진행한다.

① PET (Positron emission tomography)

② MRI (Magenetic resonance imaging)

③ Fluoroscopy

④ Scintigraphy

⑤ CT (Computed tomography)

99. 우측 후지파행으로 내원한 15살령 슈나우저의 흉부 및 후지 방사선 사진이다. 가장 적절한 진단명은?

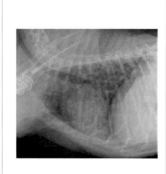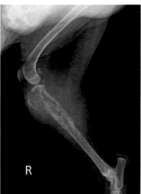

① Medial patella luxation

② Cranial cruciate ligament rupture

③ Rheumatoid arthritis

④ Cardiogenic pulmonary edema

⑤ Osteosarcoma

100. 다음 방사선 사진의 진단명으로 가장 적절한 것은?

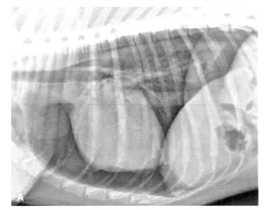

① Microcardia
② Pneumothroax
③ Megaesophagus
④ Pleural effusion
⑤ Hiatal hernia

102. 다음 그래프는 암컷 비글에서 임신 중 릴랙신(relaxin), 피브리노겐(fibrinogen), 프로락틴(prolactin)의 평균 농도를 나타낸 그래프다. 개에서 프로락틴을 분비하는 데 있어 릴랙신의 역할은 무엇인가?

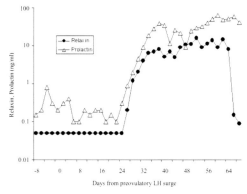

① 프로락틴 수용체에 결합한 후 프로락틴을 활성화한다.
② 뇌하수체전엽의 도파민에 대한 감수성을 증가한다.
③ 프로게스테론의 프로락틴에 대한 음성 피드백 (negative feedback)을 억제한다.
④ 에스트로겐의 프로락틴에 대한 양성 피드백 (positive feedback)을 촉진한다.
⑤ 프로락틴의 분비에 아무 영향을 미치지 않는다.

101. 소의 난소에서 난포의 발달 단계와 이와 연관된 호르몬들이 올바르게 연결된 것은?
① 원시(Primordial) - 1차 (Primary) - 2차 (Secondary) - 3차 (Tertiary) / FSH, LH, estrogen, progesterone
② 1차 - 2차 - 성숙(Graafian) - 황체 (Corpus luteum) / FSH, LH, estrogen, progesterone
③ 원시 - 1차 - 2차 - 성숙 - 황체 / FSH, LH, estrogen, progesterone
④ 1차 - 2차 - 3차 - 성숙 - 폐쇄 (Atretic) / FSH, LH, estrogen, inhibin
⑤ 원시 - 1차 - 2차 - 3차 - 폐쇄 / FSH, LH, estrogen, inhibin

103. 정자발생(spermatogenesis) 과정 동안 일어나는 2가지의 주요 단계와 고환 내에서 이 단계들이 일어나는 장소를 올바르게 짝지은 것은?
① 유사분열(mitosis)과 감수분열(meiosis) - 정세관 (seminiferous tubules)
② 감수분열과 분화 (differentiation) - 정세관
③ 분화와 수정능획득 (capacitation) - 부고환 (epididymis)
④ 수정능획득과 첨체반응 (acrosome reaction) - 정관 (vas deferens)
⑤ 첨체반응과 수정 (fertilization) - 팽대 (ampulla)

104. 다음 사진은 임신한 소의 자궁과 태반의 단면이다. 이 태반은 조직학적 분류로 나누면 어느 태반에 속하는가?

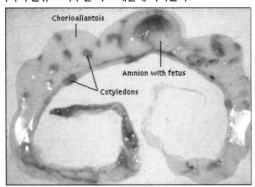

① 상피융모태반
② 결합조직융모태반
③ 내피융모태반
④ 혈융모태반
⑤ 혈내피태반

105. 다음은 임신한 소에서 임신 35일째 촬영한 초음파 사진이다. 소에서 초음파 검사를 통해 임신 여부를 판단하는 기준은 무엇인가?

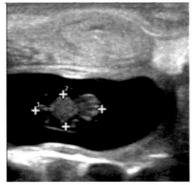

① 태반의 형태와 크기
② 태아의 심장박동과 움직임
③ 자궁의 형태와 크기
④ 자궁내막의 두께와 밀도
⑤ 자궁내액의 유무와 위치

106. 한 젖소가 수두증(hydrocephalus), 소뇌 형성 부전 (cerebellar hypoplasia), 백내장(cataract) 등 여러 선천적 질환이 있었던 7개월령의 태아를 유산했다. 어미 소는 현재 특이적인 증상이 없으며 젖 역시 정상적으로 생산하고 있다. 담당 수의사가 소와 태아에서 혈액을 채취하여 실험실에 보냈고 그 결과 두 샘플 모두 단일가닥 (single-stranded) RNA에 대한 항체가 높은 것을 확인했다. 다음 중 어느 질환이 가장 의심되는가?

① Bovine viral diarrhea (BVD)
② Bluetongue
③ Rift Valley Fever (RVF)
④ Akabane
⑤ Schmallenberg

107. 질탈 및 자궁탈에 대한 설명으로 옳지 <u>않은</u> 것은?
① 질탈은 주로 개, 소에서 나타난다.
② 자궁탈은 주로 분만 직후 일어난다.
③ 소의 질탈은 발정기에, 개의 질탈은 분만 2~3개월 전에 일어난다.
④ 질탈의 경우 초산보다는 경산에서 주로 발생한다.
⑤ 자궁탈에 비해 질탈이 유전적 영향이 크다.

108. 다음 사진은 어떤 수술 행위 이후 말(mare)의 사진이다. 이 수술과 관련된 내용으로 알맞지 않은 것은?

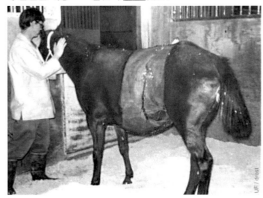

① 혈관이 적은 자궁 대만부에 실시한다.
② 오른쪽 겸부의 경우 맹장이 존재하여 선호되는 부위가 아니다.
③ 자궁 봉합은 Utrecht S.로 진행한다.
④ 내장이나 복강 내용물을 과도하게 촉진할 경우 쇼크가 올 수 있기 때문에 피해야 한다.
⑤ 자궁염전이나 견좌자세, 태아 기형 등에서 실시된다.

110. 한 마리의 젖소가 외음부에서 크고 붉은 도넛 모양의 덩어리가 튀어나온 채 옆으로 누워 있는 것을 발견했다. 12시간 전에 분만한 이 젖소는 분만이 어려워 도움이 필요했다. 임상증상을 관찰해보니 힘이 없고 우울해하며 맥박과 호흡이 빠르다. 자궁탈출증(uterine prolapse)이 의심되는 현재의 상태에 관한 가장 적절한 초기 치료는 무엇인가?

① 글루콘산 칼슘 (clacium gluconate) IV 주사
② 탈출된 자궁에 설탕 또는 고장성 식염수 (hypertonic saline) 바르기
③ 경막 외 마취 (epidural anesthesia) 후 자궁을 직접 다시 넣기
④ 제왕 절개 (cesarean section) 후 자궁 제거
⑤ 탈출된 자궁을 외음부에 봉합하고 외과 수의사에게 의뢰

109. 다음 중 오목형 자궁소구(caruncle)를 갖는 동물은?

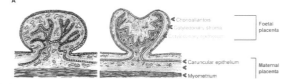

① 소
② 돼지
③ 말
④ 양
⑤ 개

111. 소의 비정상태위 중 다음 사진이 나타내는 것은?

① 견좌자세
② 앞다리 실위
③ 둔부 고착
④ 완관절굴절위
⑤ 주관절굴절위

112. 다음 중 소의 양막수종 (hydraminos)과 요막수종 (hydrallantois)에 관한 설명 중 옳지 않은 것은?

① 양막수종은 양막에 체액이 과도하게 축적되는 것이고, 요막수종은 요막에 체액이 과도하게 축적되는 것이다.

② 양막수종은 일반적으로 양수를 삼키거나 배설하는 태아의 이상 (abnormalities)과 관련이 있지만, 요막수종은 요막강액의 분비 증가나 흡수 감소로 이어지는 태반 기능 장애로 인해 발생한다.

③ 양막수종과 요막수종은 심한 복부 팽창, 호흡 곤란, 모유 생산 감소를 유발할 수 있으며, 조기에 분만을 유도하거나 제왕절개를 해야 할 수도 있다.

④ 양막수종과 요막수종은 초음파 검사를 통해 진단할 수 있으며, 초음파 검사를 통해 태아 주머니 (fetal sac)에 과도한 양의 체액이 있는지, 태아 심장 박동이 있는지 여부를 확인할 수 있다.

⑤ 양막수종과 요막수종은 임신 초기에 프로게스테론을 투여하여 예방할 수 있다.

113. 개의 '자궁축농증'과 관련된 내용으로 옳지 않은 것은?

① 임신하지 않은 개에서 발정휴지기에 많이 발생한다.
② 난소자궁적출술(OHE)이 현존하는 유일한 치료방법이다.
③ 개의 자궁축농증에서 난소에는 대부분 황체가 존재한다.
④ 분만 경험이 없는 개도 발생할 수 있다.
⑤ 개에서는 자궁축농증에 에스트로겐을 사용하면 안 된다.

114. 아래 사진에 나타나는 질병에 대한 내용으로 옳지 않은 것은?

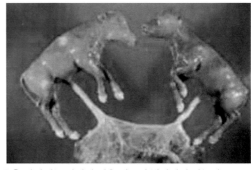

① 본 증을 나타내는 암컷의 경우 난소가 발달되지 않는다.
② 본 증의 확인을 위해 질경을 음부에 삽입하며, 본 증이 있을 경우 질을 통과하여 삽입되지 않는다.
③ 정상적인 미경산우에 비해 성성숙이 늦다.
④ 숫송아지와 함께 태어난 암송아지에서 본 증의 발병확률은 90%이다.
⑤ 본 증을 가진 암소는 외형상으로는 거세한 수소와 비슷한 모습이다.

115. 분만 후 90일 된 암소가 발정이 오지 않아 직장검사 및 초음파검사를 하였더니 난소에는 기능 황체가 있었고 정상 자궁 상태를 보였을 때, 발정을 유도하기 위해 사용할 수 있는 가장 적절한 약제는?

① 성장호르몬
② 옥시토신
③ 에스트로겐
④ 테스토스테론
⑤ PGF2α

116. 다음 동물 중 발정휴지기가 가장 긴 동물은 무엇인가?

① 소
② 말
③ 돼지
④ 양
⑤ 개

118. 6세 암말이 불임 진단을 받았다. 현재 번식기에 세 번 교배했지만 임신에 실패했다. 2년 전 정상 분만 후 태반이 남아 있어 직접 제거한 병력이 있다. 화농성 질 분비물을 제외하고는 신체 검사는 정상이다. 자궁 배양 및 세포 검사를 시행한 결과 혼합 세균 감염과 많은 수의 호중구가 발견되었다. 다음 중 이 암말의 불임의 원인으로 가장 가능성이 높은 것은?

① 자궁내막섬유증 (Endometrial fibrosis)
② 자궁내막낭종 (Endometraial cysts)
③ 자궁내막증식 (Endometrial hyperplasia)
④ 자궁내막염증 (Endometrial inflammation)
⑤ 자궁내막암종 (Endometrial carcinoma)

117. 4살, 암컷, 래브라도 리트리버가 현재 분만 중이며 지금까지 건강한 새끼 강아지 2마리를 출산했다. 분만 진행 상황을 지켜보던 중 다른 강아지를 분만하지 못하고 30분 이상 강한 진통을 겪고 있는 것을 발견했다. 어미 개는 헐떡이고 안절부절못하며 소리를 지르고 있다. 복부를 촉진한 결과 자궁의 두개골 부분에 딱딱한 덩어리가 만져졌다. 이 상태에 대한 가장 가능성이 높은 진단명과 그에 따른 가장 적절한 치료법은 무엇인가?

① 자궁무력증 (uterine inertia) - 옥시토신 투여
② 자궁염전 (uterine torsion) - 수술적 교정
③ 거대 태아 (Fetal oversize) - 수동 적출 (manual extraction)
④ 태아 위치 이상 (Fetal malposition) - 제왕절개술 (cesarean section)
⑤ 태반 박리 (Placental detachment) - 프로스타글란딘 투여

119. 발정주기의 동기화에 대한 설명으로 옳지 <u>않은</u> 것은?

① 직장 검사에 의해 손으로 황체를 제거하는 방법도 있다.
② 발정 유도를 일으키는 estrogen류 제제는 주사 24시간 후 발정을 일으키며 아무런 부작용이 없는 좋은 제제이다.
③ 7~9일의 짧은 기간 동안 progesterone에 노출시키는 방법은 유효하다.
④ PRID, CIDR을 삽입하는 방법이 존재한다.
⑤ 특정한 일시에 발정이 오게 하는 방법으로 실용적이고 경제적인 측면에서 바람직한 일이다.

120. 다음 중 돼지에서 불임증의 원인으로 가장 적절하지 <u>않은</u> 것은 무엇인가?

① 고온 스트레스
② 호르몬 장애
③ 감염성 질환
④ 영양 결핍
⑤ 유전적 결함

121. 다음 중 수정란 이식 (embryo transfer) 방식으로 생산된 형질전환 동물을 사용할 때 얻을 수 있는 장점이 <u>아닌</u> 것은?

① 우유, 육류 또는 양모 (wool) 생산량 증가
② 질병이나 기생충에 대한 저항력 향상
③ 환경 스트레스에 대한 적응력 향상
④ 동물 폐기물 (animal waste)로 인한 환경 영향 감소
⑤ 인공수정이나 호르몬 치료의 필요성 감소

122. 다음 중 수컷 동물의 전립선에 대한 설명 중 옳지 <u>않은</u> 것은 무엇인가?

① 전립선은 방광 아래에 위치하며 요도를 둘러싸고 있다.
② 전립선은 정자를 보호하고 영양을 공급하는 알칼리성 액체를 분비한다.
③ 전립선은 전엽(anterior), 중앙엽(median), 측면엽(lateral), 후엽(posterior), 복엽(ventral)의 5개의 엽으로 나뉜다.
④ 전립선은 테스토스테론 수치의 영향을 받으며 양성 또는 악성 종양이 발생할 수 있다.
⑤ 전립선은 모든 수컷 포유류에 존재하지만, 그 크기와 모양은 종마다 다르다.

123. 다음 중 분만 제1기와 제2기에 일어나는 현상이 <u>아닌</u> 것은?

① 태막의 배출
② 태아의 만출
③ 복부의 수축
④ 개구진통의 반복
⑤ 자궁경관의 확장

124. 자궁무력증에 대한 설명으로 옳지 않은 것은?

① 원발성과 속발성으로 구분할 수 있다.
② 개보다 소에서 원발성 자궁무력증이 더 많이 나타난다.
③ 좁은 축사에서의 사육과 그로 인한 운동 부족이 원발성 자궁무력증의 원인이 될 수 있다.
④ 속발성 자궁무력증은 자궁근의 피로에 의해 나타난다.
⑤ 속발성 자궁무력증은 자궁 감염, 패혈성 자궁염을 속발한다.

125. 양의 번식기 시작과 기간을 조절하는 주요 호르몬은 무엇인가?

① Melatonin
② Estrogen
③ Progesterone
④ GnRH
⑤ LH

126. 제왕절개술에 대한 설명으로 옳지 않은 것은?

① 비정상으로 큰 태아가 있을 때 적용할 수 있다.
② 왼쪽 겸부에서 수술 접근이 가능하다.
③ 오른쪽 겸부에서 수술 접근을 하면 소장의 탈출 가능성이 있다.
④ 제왕절개술을 받은 소는 앞으로 임신이 불가능해 진다.
⑤ 수술 후 stibestrol 또는 estrogen 제제를 사용하여 자궁의 수복에 도움을 준다.

127. 외음부의 이완이 불충분할 경우 실시하는 이 수술법은 무엇인가?

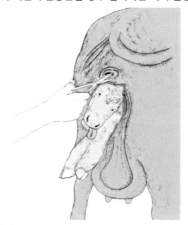

① 외음부 적출술
② 절단술
③ 샤퍼법
④ 제왕절개술
⑤ 회음절개술

128. 배란 후 개와 소의 자궁 내막은 착상 및 임신 유지에 특정한 역할을 하는 서로 다른 화학 물질을 분비한다. 다음 중 개의 자궁 내막에서는 분비되지만 소의 자궁 내막에서는 분비되지 않는 화학 물질은 무엇인가?

① 프로스타글란딘 (Prostaglandin)
② 류코트리엔 (Leukotriene)
③ 릴랙신 (Relaxin)
④ 인터페론 타우 (Interferon tau)
⑤ 성장 인자 (Growth factors)

129. 개가 수유 중 과도한 젖 생산이나 영양 부족으로 인해 혈중 칼슘 수치가 낮아지는 상태를 일컫는 용어는 무엇인가?

① 난산 (Dystocia)
② 산후 자간증 (Eclampsia)
③ 자궁축농증 (Pyometra)
④ 유방염 (Mastitis)
⑤ 자궁근염 (Metritis)

130. 다음 중 소에서의 난소낭종에 대한 설명으로 옳지 않은 것은?

① 낭종성 황체보다 황체낭종의 발생 빈도가 더 높다.
② 난포낭종은 난포가 배란되지 않고 비정상적으로 커지는 현상이다.
③ 낭종성 황체는 배란이 일어난 경우이며, 황체낭종은 배란되지 않은 경우이다.
④ 황체낭종이 있을 경우 대개 무발정 증상을 보인다.
⑤ 난포낭종이 있을 경우 사모광증을 보이기도 한다.

1. 다음 중 『수의사법』에 명시된 법의 목적으로 옳지 <u>않은</u> 것은?

① 수의사(獸醫師)의 기능과 수의(獸醫)업무에 관하여 필요한 사항을 규정
② 동물의 건강증진
③ 축산업의 발전
④ 공중위생의 향상
⑤ 인간과 동물의 공존

2. 다음 중 『수의사법』의 내용으로 옳지 <u>않은</u> 것은?

① "수의사"란 수의업무를 담당하는 사람으로서 농림축산식품부장관의 면허를 받은 사람을 말한다.
② "동물진료업"이란 동물을 진료하거나 동물의 질병을 예방하는 업(業)을 말한다.
③ "동물진료업"에는 동물의 사체 검안(檢案)이 포함된다.
④ "동물보건사"란 동물병원 내에서 수의사의 지도 아래 동물의 간호 또는 진료 보조 업무에 종사하는 사람으로서 농림축산식품부장관의 자격인정을 받은 사람을 말한다.
⑤ 마약, 대마(大麻), 그 밖의 향정신성의약품(向精神性醫藥品) 중독자는 어떠한 경우에도 수의사가 될 수 없다.

3. 다음 중 『수의사법』의 내용으로 옳지 <u>않은</u> 것은?

① 수의사 국가시험은 매년 농림축산식품부장관이 시행한다.
② 수의사국가시험위원장은 농림축산식품부장관이 되고, 부위원장은 농림축산식품부의 수의(獸醫)업무를 담당하는 3급 공무원 또는 고위공무원단에 속하는 일반직공무원이 된다.
③ 농림축산식품부장관은 제1항에 따른 수의사 국가시험의 관리를 대통령령으로 정하는 바에 따라 시험 관리 능력이 있다고 인정되는 관계 전문기관에 맡길 수 있다.
④ 외국의 AVMA(American Veterinary Medical Association), EAEVE (European Association of Establishments for Veterinary Education), RCVS(Royal College of Veterinary Surgeons) 또는 수업 연한이 5년 이상인 대학으로서 졸업에 필요한 전공과목 최저 이수학점이 160학점 이상인 수의과대학(수의학과가 설치된 대학의 수의학과를 포함)을 졸업하고 그 국가의 수의사 면허를 받은 자는 수의사 국가시험에 응시할 수 있다.
⑤ 농림축산식품부장관은 국가시험을 실시할 때마다 수의학 및 공중위생에 관한 전문지식과 경험이 풍부한 사람 중에서 시험과목별로 시험문제의 출제 및 채점을 담당할 사람(출제위원)을 2명 이상을 위촉한다.

4. 다음 중 동물병원을 개설 할 수 없는 대상은?

① 국가 또는 지방자치단체
② 동물진료업을 목적으로 설립된 법인
③ 수의학을 전공하는 대학
④ 『동물보호법』에 따라 설립된 영리법인
⑤ 『민법』이나 특별법에 따라 설립된 비영리법인

5. 다음 중 동물병원의 시설기준에 대한 설명으로 옳지 <u>않은</u> 것은?

① 개설자가 수의사인 동물병원의 경우 진료실 · 처치실 · 조제실, 그 밖에 청결유지와 위생관리에 필요한 시설을 갖추어야 한다.

② 축산 농가가 사육하는 가축에 대한 출장 진료만을 하는 동물병원은 진료실과 처치실을 갖추지 아니할 수 있다.

③ 개설자가 수의사가 아닌 동물병원의 경우 진료실 · 처치실 · 조제실 · 임상병리검사실, 그 밖에 청결유지와 위생관리에 필요한 시설을 갖추어야 한다.

④ 지방자치단체가 『동물보호법』에 따라 설치 · 운영하는 동물보호센터의 동물만을 진료 · 처치하기 위하여 직접 설치하는 동물병원의 경우에는 현미경, 세균배양기, 원심분리기 및 멸균기가 구비된 임상병리검사실을 갖춰야만 한다.

⑤ 동물병원의 진료실과 처치실은 법적으로 함께 쓰일 수 있다.

6. 다음 중 『가축전염병 예방법』의 내용으로 옳지 <u>않은</u> 것은?

① 제1종 가축전염병 : 우역(牛疫), 우폐역(牛肺疫), 구제역(口蹄疫), 가성우역(假性牛疫), 블루텅병, 리프트계곡열, 럼피스킨병, 양두(羊痘), 수포성구내염(水疱性口內炎), 아프리카마역(馬疫), 아프리카돼지열병, 돼지열병, 돼지수포병(水疱病), 뉴캣슬병, 고병원성 조류(鳥類)인플루엔자 및 그 밖에 이에 준하는 질병으로서 농림축산식품부령으로 정하는 가축의 전염성 질병

② 제2종 가축전염병 : 탄저(炭疽), 기종저(氣腫疽), 브루셀라병, 결핵병(結核病), 요네병, 소해면상뇌증(海綿狀腦症), 큐열, 돼지오제스키병, 돼지일본뇌염, 돼지테센병, 스크래피(양해면상뇌증), 비저(鼻疽), 말전염성빈혈, 말바이러스성동맥염(動脈炎), 구역(img42985437), 말전염성자궁염(傳染性子宮炎), 동부말뇌염(腦炎), 서부말뇌염, 베네수엘라말뇌염, 추백리(雛白痢: 병아리흰설사병), 가금(家禽)티푸스, 가금콜레라, 광견병(狂犬病), 사슴만성소모성질병(慢性消耗性疾病) 및 그 밖에 이에 준하는 질병으로서 농림축산식품부령으로 정하는 가축의 전염성 질병

③ 제3종 가축전염병 : 소유행열, 소아카바네병, 닭마이코플라스마병, 저병원성 조류인플루엔자, 부저병(img42985461) 및 그 밖에 이에 준하는 질병으로서 농림축산식품부령으로 정하는 가축의 전염성 질병

④ 면역요법 : 특정 가축전염병을 예방하거나 치료할 목적으로 농장의 가축으로부터 채취한 혈액, 장기(臟器), 똥 등을 가공하여 그 농장의 가축에 투여하는 행위

⑤ 가축전염병 특정매개체 : 전염병을 전파시키거나 전파시킬 우려가 큰 매개체 중 야생조류 또는 야생멧돼지를 제외한 그 밖에 농림축산식품부령으로 정하는 것

7. 다음 중 『가축전염병 예방법』의 내용으로 옳지 <u>않은</u> 것은?

① 가축방역관은 수의사여야 한다.

② 가축방역관은 소속기관장의 명을 받아 가축전염병의 예방과 관련된 조사 · 연구 · 계획 · 지도 · 감독 및 예방조치 등에 관한 업무를 담당한다.

③ 가축방역관은 농림축산식품부장관, 지방자치단체의 장, 농림축산검역본부장, 농촌진흥청 국립축산과학원장 또는 시 · 도가축방역기관의 장이 소속공무원으로서 수의사의 자격을 가진 자나 「공중방역수의사에 관한 법률」에 따른 공중방역수의사 중에서 임명하거나 지방자치단체의 장이 「수의사법」에 따라 동물진료업무를 위촉받은 수의사중에서 위촉한다.

④ 가축방역관은 가축전염병에 의하여 오염되었거나 오염되었다고 믿을 만한 역학조사, 정밀검사 결과나 임상증상이 있으면 가축이나 그 밖의 물건을 검사하거나 관계자에게 질문할 수 있으며 가축질병의 예찰에 필요한 최소한의 시료(試料)를 유상으로 채취할 수 있다.

⑤ 농림축산식품부장관 또는 지방자치단체의 장은 농림축산식품부령으로 정하는 교육과정을 마친 사람을 가축방역사로 위촉하여 가축방역관의 업무를 보조하게 할 수 있다.

8. 다음 중 『가축전염병 예방법』의 내용으로 옳지 <u>않은</u> 것은?

① 동물검역관은 수의사여야 한다.

② 동물검역관은 규정된 직무를 수행하기 위하여 필요하다고 인정하면 지정검역물을 실은 선박, 항공기, 자동차, 열차, 보세구역 또는 그 밖에 필요한 장소에 출입할 수 있으며 소독 등 필요한 조치를 할 수 있다.

③ 동물과 그 사체, 뼈 · 살 · 가죽 · 알 · 털 · 발굽 · 뿔 등 동물의 생산물과 그 용기 또는 포장 등은 지정검역물에 해당된다.

④ 소해면상뇌증이 발생한 날부터 10년이 지나지 아니한 국가산 3개월령 이상 쇠고기 및 쇠고기 제품은 수입금지되어 수입하지 못한다.

⑤ 수입 상대국에서 검역을 요구하지 아니한 지정검역물을 수출하는 경우에는 검역관의 검역을 받을 필요가 없다.

9. 다음 중 『축산물 위생관리법』의 내용으로 옳지 않은 것은?

① "가축"이란 소, 말, 양, 돼지, 닭, 오리, 그 밖에 식용(食用)을 목적으로 하는 동물을 말한다.

② 사육하는 멧돼지나 산양 등은 대통령령으로 정하는 "가축"에 해당하지 않는다.

③ "축산물"이란 식육 · 포장육 · 원유(原乳) · 식용란(食用卵) · 식육가공품 · 유가공품 · 알가공품을 말한다.

④ "집유(集乳)"란 원유를 수집, 여과, 냉각 또는 저장하는 것을 말한다.

⑤ "알가공품"이란 판매를 목적으로 하는 난황액(卵黃液), 난백액(卵白液), 전란분(全卵粉), 그 밖에 알을 원료로 하여 가공한 것으로서 대통령령으로 정하는 것을 말한다.

10. 다음 중 『동물보호법』에 명시된 법의 목적으로 옳지 않은 것은?

① 동물의 생명 보호, 안전 보장

② 동물의 복지 증진

③ 책임 있는 동물 사육 문화 조성

④ 생명 존중의 국민 정서 함양

⑤ 동물권 존중 국가 운영

11. 다음 중 『동물보호법』의 내용으로 옳지 않은 것은?

① 동물보호법에 의거하여 "동물"이란 고통을 느낄 수 있는 신경체계가 발달한 척추동물 또는 무척추동물을 만한다.

② "봉사동물"이란 「장애인복지법」 제40조에 따른 장애인 보조견 등 사람이나 국가를 위하여 봉사하고 있거나 봉사한 동물로서 대통령령으로 정하는 동물을 말한다.

③ "반려동물"이란 개, 고양이, 토끼, 페럿, 기니피그 및 햄스터를 말한다.

④ "동물학대"란 동물을 대상으로 정당한 사유 없이 불필요하거나 피할 수 있는 고통과 스트레스를 주는 행위 및 굶주림, 질병 등에 대하여 적절한 조치를 게을리하거나 방치하는 행위를 말한다.

⑤ "반려동물행동지도사"란 반려동물의 행동분석 · 평가 및 훈련 등에 전문지식과 기술을 가진 사람으로서 농림축산식품부장관이 시행하는 자격시험에 합격한 사람을 말한다.

12. 다음 중 영리를 목적으로 자동차를 이용해 동물을 운송하는 자가 준수하여야 하는 내용으로 옳지 않은 것은?

① 운송 중인 동물에게 적합한 사료와 물을 공급하고, 급격한 출발 · 제동 등으로 충격과 상해를 입지 아니하도록 할 것

② 동물을 운송하는 차량은 동물이 운송 중에 상해를 입지 아니하고, 급격한 체온 변화, 호흡곤란 등으로 인한 고통을 최소화할 수 있는 구조로 되어 있을 것

③ 병든 동물, 어린 동물 또는 임신 중이거나 포유 중인 새끼가 딸린 동물을 운송할 때에는 함께 운송 중인 다른 동물에 의하여 상해를 입지 아니하도록 칸막이의 설치 등 필요한 조치를 할 것

④ 동물을 싣고 내리는 과정에서 동물 또는 동물이 들어있는 운송용 우리를 던지거나 떨어뜨려서 동물을 다치게 하는 행위를 하지 아니할 것

⑤ 운송을 위하여 전기(電氣) 몰이도구를 최소한으로 사용 할 것

13. 다음 중 『동물보호법』의 내용으로 옳지 <u>않은</u> 것은?

① 대통령령으로 정하는 기준 이상의 실험동물을 보유한 동물실험시행 기관의 장은 그 실험동물의 건강 및 복지 증진을 위하여 실험동물을 전담하는 수의사(전임수의사)를 두어야 한다.

② 실험동물의 고통이 수반되는 실험을 하려는 경우에는 감각능력이 낮은 동물을 사용하고 진통제·진정제·마취제의 사용 등 수의학적 방법에 따라 고통을 덜어주기 위한 적절한 조치를 하여야 한다.

③ 동물실험을 한 자는 그 실험이 끝난 후 지체 없이 해당 동물을 검사하여야 한다.

④ 동물실험 검사 결과 정상적으로 회복한 동물은 기증하거나 분양할 수 있다.

⑤ 미성년자의 경우, 체험·교육·시험·연구 등의 목적으로 동물의 사체에 한정(생체는 제외)해서는 어떤 기관이라도 해부 실습을 진행할 수 있다.

14. 반려동물과 관련된 영업 중 농림축산식품부령으로 정하는 바에 따라 특별자치시장·특별자치도지사·시장·군수·구청장의 허가를 받아야 하는 것이 <u>아닌</u> 것은?

① 동물진료업
② 동물생산업
③ 동물판매업
④ 동물수입업
⑤ 동물장묘업

15. 다음 중 『동물용 의약품등 취급규칙』의 내용으로 옳지 <u>않은</u> 것은?

① "동물약국"이라 함은 동물용의약품의 취급을 목적으로 하는 약국을 말한다.

② 「수의사법」에 따라 동물약국의 개설등록을 하려는 자는 신청서를 특별자치시장·시장·군수 또는 자치구의 구청장(이하 "시장·군수 또는 구청장"이라 한다)에게 제출하여야 한다.

③ 동물용의약품 및 동물용의약외품의 제조·수입·판매에 관한 업무 중 농림축산용·양봉용·양잠용·애완용(관상어는 제외)과 농수산 겸용에 관한 것은 농림축산검역본부장 소관으로 한다.

④ 동물용의약품 및 동물용의약외품의 제조·수입·판매에 관한 업무 중 수산(관상어를 포함) 전용(專用)에 관한 것은 수산물품질관리원장 소관으로 한다.

⑤ "동물용의료기기"라 함은 동물용으로 사용함을 목적으로 하는 의료 기기로서 농림축산검역본부장이 정하여 고시하는 것을 말한다.

16. 다음 중 『동물용 의약품등 취급규칙』에 명시된 "동물용 의약외품"에 대한 내용으로 옳지 <u>않은</u> 것은?

① 구강청량제·세척제·탈취제 등 애완용제제 등이 포함된다.

② 축사소독제가 포함된다.

③ 해충의 구제제 및 영양 보조제로서의 비타민제 등 동물에 대한 작용이 경미하거나 직접 작용하지 아니하는 것으로서 기구 또는 기계가 아닌 것이 포함된다.

④ 동물질병의 치료·경감·처치 또는 예방의 목적으로 사용되는 섬유·고무제품 또는 이와 유사한 것이 포함된다.

⑤ 식품의약품안전처장 및 농림축산검역본부장 또는 국립수산물품질관리원장이 정하여 고시하는 것을 말한다.

17. 동물의 품종으로 올바르게 연결되지 <u>않은</u> 것은?

① 육우 - 한우, 헤어포드종, 샤로레종
② 말 - 페르슈통종, 사이어종, 클라이즈데일종
③ 돼지 - 랜드레이스종, 듀록종, 버크셔종
④ 면양 - 자아넨종, 누비안종, 알파인종
⑤ 닭 - 레그혼종, 미노르카종, 코니쉬종

18. 다음 중 한우 초유의 특성에 관한 설명으로 옳지 <u>않은</u> 것은?

① 송아지의 태변의 배설을 촉진시키는 물질이 들어있다.
② 지방 및 무기질은 일반 우유보다 2배 정도 더 많이 들어있다.
③ 새끼를 많이 낳은 소의 초유가 새끼를 적게 낳은 소의 초유보다 면역
　물질이 적게 들어있다.
④ 질병 경력이 많은 소의 것이 적은 소보다 면역물질이 많이 들어 있다.
⑤ 단백질 소화를 억제시키는 '항트립신' 물질이 들어있다.

19. 다음 중 닭의 인공수정에 대한 설명으로 옳지 <u>않은</u> 것은?

① 농장에서 불필요한 수탉은 사육하지 않아도 된다.
② 자연교미로 인한 암탉의 손상을 방지할 수 있다.
③ 수정율은 자연교미보다 떨어진다.
④ 암수의 체격차가 클 때 사용한다.
⑤ 케이지 사육으로 자연교미가 불가능한 경우 사용한다.

20. 옥수수, 밀 등 곡물 사료 특성에 관한 설명 중 옳지 <u>않은</u> 것은?

① 칼슘과 유효 인 함량이 낮다.
② 비타민 A, D, Carotene 함량이 낮다.
③ 에너지 함량이 높고 조섬유 함량이 낮다.
④ 소화율 및 기호성이 낮다.
⑤ 단백질 및 아미노산 조성이 불량하다.

※ 확인 사항

답안지의 해당란에 필요한 내용을 정확히 기입(표기)했는지 확인하시오.

정답과 해설

수의미래연구소
VETERINARY FUTURE INSTITUTE

1교시 - 기초수의학

	1	2	3	4	5	6	7	8	9	10
0	⑤	④	④	①	③	④	⑤	④	②	⑤
10	①	⑤	①	⑤	③	②	①	①	①	②
20	⑤	③	⑤	③	①	④	②	⑤	③	①
30	①	④	②	④	①	②	④	⑤	①	④
40	③	②	④	④	②	④	⑤	②	③	②
50	②	③	①	③	②	③	②	③	③	①
60	④	④	③	②	⑤	④	①	③	②	①
70	②	⑤	⑤	①	⑤	④	⑤	④	①	②
80	②	④	⑤	③	⑤	③	①	④	③	④
90	③	⑤	⑤	①	②	④	⑤	③	③	①

01   ⑤

| 해설 | 해설 : 배 단면이 아니라 가로 단면에 해당한다.
그림 출처 : [수의해부학] 1장 - 기본구조와 개념

| 추가학습 | [수의해부학] 1장 - 기본구조와 개념

02   ④

| 해설 | 해설 : 뼈의 돌출 부분들은 선(line), 능선(crest), 결절(tubercle), 거친면(tuberosity), 돌기(process) 등으로 표현한다.

| 추가학습 | [수의해부학] 1장 - 기본구조와 개념

03   ④

| 해설 | 해설 : 뒷다리이음뼈(pelvic girdle)인 엉덩뼈(ilium), 궁둥뼈(ischium), 두덩뼈(pubis)은 뒷다리(hindlimb)를 구성하는 뼈대에는 포함되며 뒷발목뼈(tarsal bones)는 목말뼈(talus), 뒷발꿈치뼈(calcaneus), 중심뒷발목뼈(central tarsal bone)와 4개의 tarsal bone 총 7개의 뼈로 구성되어 있다.

| 추가학습 | [개해부길잡이] Chapter 2 '골격계통과 근육계통'

04   ①

| 해설 | 해설 : (a)는 어깨뼈가시(spine)이다.
그림 출처 : [개해부길잡이] 그림 2-3 왼어깨뼈, 가쪽면

| 추가학습 | [개해부길잡이] Chapter 2 '골격계통과 근육계통'

05 ③

| 해설 | 해설 : 뒷발목관절(tarsal joints)의 굽힘면은 뒤쪽이 아니라 앞쪽에 위치한다.
그림 출처 : [개해부길잡이] 그림 2-35

| 추가학습 | [개해부길잡이] Chapter 2 '골격계통과 근육계통'

06 ④

| 해설 | 해설 : 상완세갈래근은 보통 세 갈래로 되어 있지만, 개에서는 네 갈래로 되어있다.

| 추가학습 | [개해부길잡이] Chapter 2 '골격계통과 근육계통'

07 ⑤

| 해설 | 해설 : 개의 꼬리뼈는 일반적으로 20개를 가진다고 알려져 있으나 개체에 따라 변이가 심하다.

| 추가학습 | [개해부길잡이] Chapter 2 '골격계통과 근육계통'

08 ④

| 해설 | 해설 : 일곱째 목뼈에는 가로돌기구멍이 없다.
그림 출처 : https://veteriankey.com/surgery-of-the-cervical-spine/

| 추가학습 | [개해부길잡이] Chapter 2 '골격계통과 근육계통'

09 ②

| 해설 | 해설 : (2)는 꼭지돌기(mamillary process)이다.
그림 출처 : [개해부길잡이] 그림 2-70

| 추가학습 | [개해부길잡이] Chapter 2 '골격계통과 근육계통'

10 ⑤

| 해설 | 해설 : 10번째~12번째 갈비연골은 서로 합쳐져 갈비활(costal arch)를 이루며 13번째 갈비뼈만
허구리(flank)에서 대부분 독립적으로 끝난다.

| 추가학습 | [개해부길잡이] Chapter 2 '골격계통과 근육계통'

11 ①

| 해설 | 해설 : (1)은 기관(trachea)를 나타낸다.
그림 출처 : [개해부길잡이] 그림 3-15

| 추가학습 | [개해부길잡이] Chapter 3 '목, 가슴, 앞다리'

12 ⑤

| 해설 | 해설 : (5)는 빈창자(jejunum)이다.
그림 출처 : [개해부길잡이] 그림 4-27

| 추가학습 | [개해부길잡이] Chapter 4 '골격계통과 근육계통'

13 ①

| 해설 | 해설 : 아랫니는 앞니, 송곳니, 어금니 모두 아래턱뼈(mandible)에 박혀있다.

| 추가학습 | [개해부길잡이] Chapter 5 '머리'

14 ⑤

| 해설 | 해설 : (13)는 맥락막(sclera)이며 (14)는 맥락막(choroid), (15)가 망막(retina)이다.
그림 출처 : [개해부길잡이] 그림 5-36

| 추가학습 | [개해부길잡이] Chapter 5 '머리'

15 ③

| 해설 | 해설 : (VI)는 갓돌림신경(Abducent n.)이며 (III)이 눈돌림신경(cculomotor n.)이다.
그림 출처 : [개해부길잡이] 그림 6-10

| 추가학습 | [개해부길잡이] Chapter 6 '신경계통'

16 ②

| 해설 | 해설 : 대뇌반구에는 바깥쪽을 향한 주름인 이랑(gyrus)와 안쪽을 향한 주름인 고랑(sulci)가
존재한다.

| 추가학습 | [개해부길잡이] Chapter 6 '신경계통'

17 ①

| 해설 | 해설 : (A)는 뇌들보, (B)는 가쪽내실이다.
그림 출처 : [개해부길잡이] 그림 6-12

| 추가학습 | [개해부길잡이] Chapter 6 '신경계통'

18 ①

| 해설 | 해설 : 서골 (vomer)는 신경두개, 머리뼈안 (cranial cavity)를 구성하지 않는다.

머리뼈안(두개강, cranial cavity)를 구성하는 뼈는 다음과 같다. 천장부분을 머리덮개뼈(calvaria)라 하며, 이마뼈(frontal)와 마루뼈(parietal)로 되어 있다. 머리뼈안 바닥의 앞 2/3는 나비뼈(sphenoid)로 되어 있고, 나머지 뒤 1/3은 뒤통수뼈 (occipital)와 관자뼈(temporal)로되어 있다. 머리뼈안 뒤벽은 뒤통수뼈이며, 앞병은 벌집뼈체판(cribriform plate)이다. 그리고 가쪽벽은 관자뼈, 마루뼈, 이마뼈, 나비뼈로 되어 있다.

| 추가학습 | [개해부길잡이] Chapter 6 '신경계통'

19 ①

| 해설 | 해설 : 동맥관 인대((ligament arteriosum)는 왼빗장밑동맥 바로 뒤에서 허파동맥과 대동맥 사이를 연겨하는 섬유성 구조이다. 태아 때에는 이것이 말 그대로 동맥관이었고, 아직 기능을 하지 않는 허파로 흘러갈 혈액을 대동맥으로 흐르게 하는 역할을 했다.

| 추가학습 | [개해부길잡이] Chapter 3 '목, 가슴, 앞다리'

20 ②

| 해설 | 해설 : (2)는 제1위(rumen)에 해당하며 구조와 기능면에서 다른 동물의 단위(simple stomach)에 해당하는 것은 제4위(abomasum)이다.
그림 출처 : [수의해부학] 그림 28-8

| 추가학습 | [수의해부학] Chapter 28 '새김질동물류 배 부위'

21 ⑤

| 해설 | 해설 : 돼지의 난소(ovary)는 약 5cm 길이로, 많은 난포와 황체가 난소 표면으로 돌출되어 있다.
그림 출처 : [수의해부학] 그림 35-2

| 추가학습 | [수의해부학] Chapter 35 '돼지 골반과 생식기관'

22 ③

| 해설 | 해설 : 총배설강은 2개의 거의 완전한 돌림주름에 의해 앞에서부터 순서대로 <u>분동, 요동, 항문동</u>으로 나뉘어진다.

| 추가학습 | [수의해부학] Chapter 37 '조류 해부학'

23 ⑤

| 해설 | 중배엽에서 유래한 척삭은 배아 발달 과정에서 중요한 역할을 한다.
① 척삭은 외배엽이 신경판을 형성하도록 유도하지만, 외배엽 자체에서 발생하지는 않는다.
② 척삭은 척수로 완전히 변형되지 않는다.
③ 내배엽은 주로 장과 같은 소화 장기를 생성하는 반면, 외배엽은 피부 및 신경계와 같은 구조를 생성한다. (소화기관의 상피와 샘만 내배엽에서 생성하고 민무늬근, 결합조직은 중배엽에서, 항문관 아래부터는 외배엽에서 생성한다.)
④ 추간판은 반액체(semi-liquid)의 중심부인 수핵(nucleus pulposus)과 거친 바깥쪽 섬유층인 섬유륜 (annulus fibrosus)로 구성되며 후자만 척삭의 잔재가 남아있다.

| 추가학습 | [수의발생학] Chapter 14 '근육뼈대계통'

24 ③

| 해설 | 동맥관은 신체에서 돌아온 혈액이 아직 기능을 하지 않는 폐를 우회하여 전신 순환으로 직접 들어갈 수 있도록 하는 태아 구조다 (폐동맥 - 대동맥). 아기가 태어나서 스스로 호흡하기 시작하면 이 구조는 닫히고 동맥인대(ligamentum arteriosum)가 된다. 타원구멍은 태아기의 좌우심방 사이에 있는 구멍을, 정맥관은 제정맥(umbilical v.)에서 후대정맥 (caudal vena cava)로 흐르는 통로를 말한다.

| 추가학습 | [수의발생학] Chapter 11 '심장혈관계통'

25 ①

| 해설 | 단순 상피와 중층(stratified)상피는 각각 한 층과 두 층 이상의 세포로 구성된 상피를 말한다. 편평 상피 세포(squamous epithelial cell)는 둥글고 평평하며 불규칙한 경계를 가지며, 주로 여과 기능을 한다. 입방(cuboidal)상피세포는 넓고 정육면체 모양이며, 주로 샘의 안쪽에서 물질 분비 기능을 한다. 원주(columnar)상피세포는 폭보다 높이가 크며, 주로 소화관에서의 흡수 기능을 하고 있다. 거짓중층원주상피(pseudostratified columnar epithelia)는 핵이 한 줄 이상으로 보이지만 실제로는 단일 세포층이다. 이행상피(transitional epithelium)는 늘어나는 능력이 있으며, 일반적으로 내부를 감싸고 있는 장기에서 발견된다. 이러한 상피들은 각각 다른 구조와 기능이 있다.
그림 출처 : [Color Atlas of Veterinary Histology(3rd)] Fig 2.5

| 추가학습 | [수의조직학] Chapter 2 '상피'

26 ④

| 해설 | 개 호중구는 작은 분홍색 과립을 포함한 흰색 세포질을 가지고 있다. 반면에 성숙한 호중구에는 분절이나 뚜렷한 움푹 들어간 부분이 없다. 고양이 호중구는 흰색 세포질이며, 청색 과립이 1~3개 있을 수 있다. 말 호중구는 흰색 또는 약간 분홍색 세포질을 가지고 있으며, 핵은 길고 얇고 노브(knobby) 형태로 되어 있어 전형적인 분절(segmentation)이 없을 수 있다. 반추동물의 호중구는 작은 분홍색 과립을 가진 흰색 세포질이다. 이 종은 전반적으로 분홍색이 더 도드라져 있다.
그림 출처 : [Color Atlas of Veterinary Histology(3rd)] Fig 6.4

| 추가학습 | [수의조직학] Chapter 4 '혈액과 골수'

27 ②

| 해설 | 골격근 세포는 크고 길며 수많은 말초 핵을 가지고 있다. 일부 골격근 근처에 있는 핵은 근육 세포는 근육속막(endomysium)과 근육다발막(perimysium)의 세포에 속한다. 골격에서 근육 세포를 세로로 자르면 가로무늬(횡문)는 가느다란 빛과 긴 줄무늬에 수직인 어두운 줄무늬 세포의 축으로 나타난다. 가로로 자르면 세포는 원형에서 다각형으로 보인다, 근섬유는 세포질에 점으로 가득 찬 점으로 보인다. 골격근 세포를 표면 근처를 단면으로 자르면 핵이 이 더 중앙에 있는 것처럼 보입니다.
그림 출처 : [Color Atlas of Veterinary Histology(3rd)] Fig 8.8

| 추가학습 | [수의조직학] Chapter 5 '근육조직'

28 ⑤

| 해설 | 피라미드 세포는 대뇌 피질, 해마, 편도체에서 두드러지게 발견되는 다극성 뉴런으로, 피라미드 모양으로 구별된다. 이 흥분성 뉴런은 글루타메이트를 신경 전달 물질로 사용하며 피질 정보 처리에 필수적인 역할을 한다. 광범위한 축삭돌기는 피질 내 및 특정 뇌 영역으로의 통신을 촉진하며 장기 강화(long-term potentiation; LTP)와 같은 시냅스 가소성 (synapse plasticity) 메커니즘에서 중요한 역할을 한다. 특히 운동 피질에서 이러한 세포의 기능장애는 근위축성 측삭 경화증(Amyotrophic Lateral Sclerosis; ALS)과 같은 질병과 관련이 있다.
그림 출처 : [Color Atlas of Veterinary Histology(3rd)] Fig 9.4

| 추가학습 | [수의조직학] Chapter 6 '신경조직'

29 ③

| 해설 | (A)는 혈관중간막(tunica media)이 두꺼운 것을 확인할 수 있으므로 동맥이다. 혈관중간막은 동맥벽의 중간층으로 주로 평활근 세포와 탄력섬유로 구성되어 있다. 이것의 두께는 동맥의 크기와 기능에 따라 다르다. 혈관중간막의 주요 역할은 평활근 세포의 수축과 이완을 매개로 한 혈관 수축/확장을 통해 혈관 직경과 혈류량 및 혈압을 조절하는 것이다.
그림 출처 : [Color Atlas of Veterinary Histology(3rd)] Fig 10.12

| 추가학습 | [수의조직학] Chapter 7 '심장혈관계통'

30 ①

| 해설 | 가슴샘은 부분적으로 각 소엽(lobule)으로 나누는 중격을 향해 뻗어나가는 결합조직의 얇은 피막으로 덮여 있다. 실질은 대부분 작고 조밀하게 포장 된 피질로 구성되어 있다. 각 소엽의 실질은 대부분 작고 밀도 있는 림프구들로 이루어진 겉질과 더 적지만 더 큰 림프구로 구성된 속질로 구성되어 있다. 속질은 인접한 소엽과 계속해서 이어져 있는 모습을 볼 수 있다.
그림 출처 : [Color Atlas of Veterinary Histology(3rd)] Fig 11.48

| 추가학습 | [수의조직학] Chapter 8 '면역계통'

31 ①

| 해설 | 혈액으로 채워진 굴(sinus)의 전체적인 길이는 반추동물, 말, 돼지의 털주머니혈관동굴 (sinus of hair follicle) 내 수많은 잔기둥(trabeculae)에 의해 교차 된다.
그림 출처 : [Color Atlas of Veterinary Histology(3rd)] Fig 12.33

| 추가학습 | [수의조직학] Chapter 16 '외피'

32 ④

| 해설 | 점막, 유문 부위 (pyloric gland region), 위, 고양이.
깊은 위 오목 (gastric pit)을 확인할 수 있으며 일부는 점막 깊이의 절반까지 확장한 것을 볼 수 있다.
그림 출처 : [Color Atlas of Veterinary Histology(3rd)] Fig 13.78

| 추가학습 | [수의조직학] Chapter 10 '소화계통'

33 ②

| 해설 | 해당 사진은 소에서의 기관 조직 사진이다. 육식동물이 아닌 동물에서 기관 근육은 기관 연골 내부에 있는 연골막 (perichondrium)에 붙는다. 고유판(lamina propria)과 점막밑층(submucosa)은 둘다 탄력섬유가 풍부하다.
그림 출처 : [Color Atlas of Veterinary Histology(3rd)] Fig 15.16

| 추가학습 | [수의조직학] Chapter 09 '호흡계통'

34 ④

| 해설 | 부신 피질과 피막. 사구층(zona glomerulosa)는 말에서 특히 키가 큰 상피 세포로 구성되어 있다. 상피성 피질 세포 (epitheloid cortical cell) 다발 (cluster)은 부신 피질에서 많이 관찰된다. 뚜렷한 중간 영역은 다발층 (zona fasciculata)과 사구층을 분리한다.
그림 출처 : [Color Atlas of Veterinary Histology(3rd)] Fig 16.23

| 추가학습 | [수의조직학] Chapter 15 '내분비계통'

35 ①

| 해설 | 해당 조직 사진에는 간문맥과 간정맥, 담관과 림프관이 있다.
그림 출처 : [Color Atlas of Veterinary Histology(3rd)] Fig 13.130

| 추가학습 | [수의조직학] Chapter 10 '소화계통'

36 ②

| 해설 | 해당 조직 사진에서는 핵이 있는 원시난포 (primordial follciles)와 바로 옆에 있는 백색막(tunica albuginea) 그리고 간질 (stroma)을 확인할 수 있다.
그림 출처 : [Color Atlas of Veterinary Histology(3rd)] Fig 18.2

| 추가학습 | [수의조직학] Chapter 13 '암컷생식계통'

37 ④

| 해설 | 해설 : 혈청은 혈액이 응고한 후의 액상 부분이며 혈장은 응고가 일어나기 전의 액상 부분이다.

| 추가학습 | [수의생리학] 제2장 - 혈액

38 ⑤

| 해설 | 해설 : 혈소판에는 섬유소 안정인자와 섬유소 용해 억제 인자가 있어서 섬유소 용해 억제 작용을 한다.

| 추가학습 | [수의생리학] 제2장 - 혈액

39 ①

| 해설 | 해설 : 동물에도 혈액형이 있으나 동종정상항체는 대부분 인정되지 않으므로, 사람과 같이 적혈구에 대한 동종정상항체와의 반응에 의해서 혈액형이 분류되지 않으며, 주로 동종 또는 이종면역항체에 의해서 분류된다. 말, 돼지, 닭에서는 응집반응이 이용되나 소, 면양, 산양의 혈구는 항체를 가해도 응집이 뚜렷하지 않으므로 용혈반응이 많이 이용된다.

| 추가학습 | [수의생리학] 제2장 - 혈액

40 ④

| 해설 | 해설 : 심근의 흥분은 세포에서 세포로 전달되는데 방실 사이는 결합조직성 막이 경계를 이루고 있으며, 근섬유의 연락이 없기 때문에 흥분을 전파하지 않는다.

| 추가학습 | [수의생리학] 제3장 - 순환

41 ③

| 해설 | 해설 : 표준 사지 유도법은 쌍극 유도법이라고도 하며, 제1유도(우측 앞다리 - 좌측 앞다리) / 제2유도(우측 앞다리 - 좌측 뒷다리) / 제3유도(좌측 앞다리 - 좌측 뒷다리)로 이들의 전압차를 기록한다.

| 추가학습 | [수의생리학] 제3장 - 순환

42　②

| 해설 | 해설 : 좌우 심방이 거의 동시에 수축하게 되고 계속해서 0.1~0.2초 뒤에 좌우 심실이 수축한다.
그림 출처 : https://www.sciencedirect.com/science/article/abs/pii/B9780323913911000145

| 추가학습 | [수의생리학] 제3장 - 순환

43　④

| 해설 | 해설 : 심장의 수축기는 이완기보다 짧기 때문에 평균혈압은 일반적으로 수축기 혈압과 이완기
혈압의 산술평균보다 낮다. 보통 이완기 혈압에 맥압의 1/2~1/3을 더한 값으로 표현하기도 한다.

| 추가학습 | [수의생리학] 제3장 - 순환

44　④

| 해설 | 해설 : 림프는 원래 혈장에서 유래하기 때문에 성분적으로는 혈장과 큰 차이가 없으나 모세혈관벽을
거의 투과할 수 없는 단백질 드에서는 차이가 난다. 개에서 혈장 단백질 농도는 6.9mg/100ml이나
림프의 단백질 농도는 2.6mg/100ml로 큰 차이가 난다. 이외 혈장, 비단백질소, 요소, 아미노산 등은
큰 차이가 나지 않는다.

| 추가학습 | [수의생리학] 제3장 - 순환

45　②

| 해설 | 해설 : 산소는 헤모글로빈의 2가 산화철과 결합한다.

| 추가학습 | [수의생리학] 제4장 - 호흡

46　④

| 해설 | 해설 : 폐활량은 '흡식 예비용적 + 1회 호흡량 + 호식 예비용적'이다.

| 추가학습 | [수의생리학] 제4장 - 호흡

47　⑤

| 해설 | 해설 : 펩시노겐은 주세포, HCl은 벽세포에서 생성된다.

| 추가학습 | [수의생리학] 제5장 - 소화

48　②

| 해설 | 해설 : 위의 기능은 섭취된 음식물을 저장, 혼합하고 단백질과 지방의 소화를 시작하는 것이다.
탄수화물은 위에 도달하기 전부터 소화가 시작된다.

| 추가학습 | [수의생리학] 제5장 - 소화

49 ③

| 해설 | 해설 : 동물이 사료를 섭취한 후 소화, 흡수 및 저장하는 과정에도 대사량은 증가한다. 채식 후 1시간 쯤부터 대사량은 증가하기 시작하여 3시간에 이르면 최대에 이른다. 이를 특수동적작용(specific dynamic action)이라고 한다.

| 추가학습 | [수의생리학] 제6장 - 대사

50 ②

| 해설 | 해설 : 저체온이 되면 산소 소비량, 심박수는 낮아지지만 혈액 점도는 높아진다.

| 추가학습 | [수의생리학] 제6장 - 대사

51 ②

| 해설 | 해설 : 체내에 있는 나트륨 이온의 45%는 세포외액에 존재하고 45%는 뼈속에 존재하며 나머지는 세포내액에 있으나 개체에 따른 차이가 존재할 수 있다.

| 추가학습 | [수의생리학] 제8장 - 체액

52 ③

| 해설 | 해설 : 혈장 교질 삼투압이나 보우만 주머니 내압이 증가할수록 사구체 여과율(glomerular filtration rate, GFR)은 감소한다.

| 추가학습 | [수의생리학] 제9장 - 신장

53 ①

| 해설 | 해설 : 평활근이라는 명칭의 유래는 현미경 상 그 모양이 골격근에서 볼 수 있는 A대와 I대가 없어 횡문이 없는 밋밋한 모양을 가지고 있기 때문이다.
그림 출처 : https://teaching.ncl.ac.uk/bms/wiki/index.php/Smooth_Muscle

| 추가학습 | [수의생리학] 제10장 - 근육

54 ③

| 해설 | 해설 : 부교감신경 자극으로 방광의 확장근은 수축한다.

| 추가학습 | [수의생리학] 제11장 - 신경

55 ②

| 해설 | 해설 : 전기적 시냅스의 흥분은 양방향성을 나타낸다.
사진 출처 : http://utmadapt.openetext.utoronto.ca/chapter/7-3/

| 추가학습 | [수의생리학] 제11장 - 신경

56 ③

| 해설 | 해설 : 대부분의 뇌척수액은 경막(dura mater)에 존재하는 정맥동(venous sinuses)의 벽을 통하는 돌출물인 지주막 융모(arachnoid villi)를 통해 흡수된다.
그림 출처 : https://veteriankey.com/cerebrospinal-fluid-and-hydrocephalus/

| 추가학습 | [수의생리학] 제11장 - 신경

57 ②

| 해설 | 글리코겐은 불해과정에서 cAMP 농도가 증가하면서 PKA가 활성화된다.

| 추가학습 | [Lehniger Principles of Biochemistry] Chapter 7 'Carbohydrates and Glycobiology'

58 ③

| 해설 | Glucose의 대사 중 TCA cycle에 따라 피루브산은 아세틸 CoA로 변화되는데 이는 미토콘드리아 기질에서 일어난다.

| 추가학습 | [Lehniger Principles of Biochemistry] Chapter 14 'Glycolysis, Gluconeogenesis, and the Pentose Phosphate Pathway'

59 ③

| 해설 | DNA의 유기염기는 A,C,G,T가 존재하고, RNA는 A,C,G,U가 존재한다. 따라서 핵산의 유기염기는 A,C,G,T,U가 존재한다.

| 추가학습 | [Lehniger Principles of Biochemistry] Chapter 8 'Nucleotides and Nucleic Acids'

60 ①

| 해설 | 보어 효과는 이산화탄소(CO_2)와 산도(acidity) 등에 의하여 헤모글로빈의 산소 결합 친화도가 약해지는 현상을 말한다. 헤모글로빈은 산소와 결합하는 단백질로, 산소와 헤모글로빈의 결합 친화성은 여러 요인들에 의해 영향을 받는다.
척추동물들의 헤모글로빈은 4개의 폴리펩타이드가 합쳐진 4합체(tetramer)이다.

| 추가학습 | [Lehniger Principles of Biochemistry] Chapter 12 'Biosignaling'

61 ④

| 해설 | 효소-기질이 결합하게 되면 효소-기질 유도 적합설에 따라 기질이 결합하면서 효소 활성 부위의 구조가 약간 변할 수 있다.

| 추가학습 | [Lehniger Principles of Biochemistry] Chapter 6 'Enzymes'

62 ④

| 해설 | 글루탐산은 단백질을 구성하는 성분인 20 가지 아미노산의 일종으로, 아미노기를 1개, 카르복실기를 2개 가지고 있는 산성 아미노산이다.
동물의 체내에서도 신경 전달 물질로 작용하는데, 글루탐산 수용체를 통해 신경 말단의 흥분을 전달하는 기능에 관여한다.

| 추가학습 | [Lehniger Principles of Biochemistry] Chapter 22 'Biosynthesis of Amino Acids, Nucleotides, and Related Molecules'

63 ③

| 해설 | 평형상수가 1 이하인 상황에서는 역반응이 정반응보다 우세한 반응이라는 뜻이다. 따라서 역반응만이 일어나는 것은 옳지 않고 역반응, 정반응 모두 일어나지만 역반응이 우세하다.

| 추가학습 | [Lehniger Principles of Biochemistry] Chapter 12 'Biosignaling'

64 ②

| 해설 | 코리 회로(Cori cycle)는 근육에 의하여 생성되는 젖산 (lactic acid)이 다시 포도당으로 순환되는 생화학 반응을 말한다.

| 추가학습 | [Lehniger Principles of Biochemistry] Chapter 14 'Glycolysis, Gluconeogenesis, and the Pentose Phosphate Pathway'

65 ⑤

| 해설 | 젖당 오페론에서 포도당과 젖당 모두 존재한다면, 젖당보다 포도당을 먼저 사용한다.

| 추가학습 | [Lehniger Principles of Biochemistry] Chapter 22 'Biosynthesis of Amino Acids, Nucleotides, and Related Molecules'

66 ④

| 해설 | 동물의 해당과정은 세포질 내에서 일어나고, 시트르산 회로는 미토콘드리아 기질에서 일어난다. 전자전달계 및 산화적인산화 반응은 미토콘드리아 내막에서 일어난다.

| 추가학습 | [Lehniger Principles of Biochemistry] Chapter 16 'The Citric Acid Cycle'

67 ①

| 해설 | 지방산 구조 중 n번과 n+1번 탄소 사이에 이중결합이 있다는 것을 △n으로 표현할 수 있다. 아라키돈산 20:4는 20개의 탄소로 구성된 사슬에 4개의 시스 이중 결합을 가지고 있는 카복실산 으로 첫 번째 이중 결합이 오메가 말단에서부터 6번째 탄소에 위치한다.

| 추가학습 | [Lehniger Principles of Biochemistry] Chapter 22 'Biosynthesis of Amino Acids, Nucleotides, and Related Molecules'

68 ③

| 해설 | 비닐봉지를 코와 입에 대고 호흡하는 응급처치는 과호흡일 때 사용된다. 저호흡인 경우에는 산소를 코와 입에 대주는 응급처치가 필요하다.

| 추가학습 | [Lehniger Principles of Biochemistry] Chapter 23 'Hormonal Regulation and Integration of Mammalian Metabolism'

69 ②

| 해설 | 산소원자와 수소원자 사이에는 공유결합으로 결합되어있다.
전기음성도가 강한 질소(N), 산소(O), 플루오린(F) 등의 원자에 수소(H) 원자가 공유결합으로 결합하면 전기음성도가 강한 원자는 부분적인 음(-)전하를 띄고 수소 원자는 부분적인 양(+)전하를 띠게 된다. 이러한 수소 원자에 전기음성도가 강한 원자가 서로 이웃하게 되면 이 두 원자 사이에 정전기적 인력이 생기는데 이것을 수소결합이라 한다.

| 추가학습 | [Lehniger Principles of Biochemistry] Chapter 2 'Water'

70 ①

| 해설 | mRNA의 5` end에 capping이 존재한다.

| 추가학습 | [Lehniger Principles of Biochemistry] Chapter 26 'RNA metabolism'

71 ②

| 해설 | Gentamicin은 Aminoglycoside 계열 약물로 단백질 합성 과정 중 30s를 억제한다.
Macrolide, chloramphenicol, florfenicol, lincosamide, tiamulin, streptogramin은 50s를 억제한다. Erythromycin과 Azithromycin은 Macrolide 계열 약물에 속한다.

| 추가학습 | [수의약리학] Chapter 17 향균제

72 ⑤

| 해설 |

<u>Alfaxalone</u>

합성스테로이드로 빠르고 단시간에 작용하는 전신마취제이다.

작용기전 : GABA$_a$ receptor agonist

투여 : 정맥과 근육주사가 가능하며 지속기간은 매우 짧고 회복은 부드럽다. 마취는 반복 주사 혹은 연속주입으로 유지할 수 있다.

부작용 : 호흡억제와 무호흡이 가장 큰 문제이며 심부정맥이 일어날 수 있으며,

hypoxemia/hypercapnia가 일어날 가능성이 있다.

| 추가학습 | [수의약리학] Chapter 5 마취약

73 ⑤

| 해설 |

항우울제로 사용할 수 있는 여러 가지 제제들에 대한 학습이 필요하다.

TCA : Tricyclic antidepressants

SSRI : Selective Serotonin Reuptake Inhibitor

MAOI : Monoamine Oxidase Inhibitor

TCA	SSRI	MAOI	Progestin
Amitriptyline	Fluoxetine		
Imipramine	Paroxetine	Selegiline	Megestrol acetate(MA)
Clomipramine	Sertraline		Medroxyprogesterone(MPA)
Doxepin	Fluvoxamine		

SSRI와 MAOI 약물을 병용하게 되면 5-HT syndrome, Hyperpyrexia, Unreactive pupil이 나타날 수 있으니 주의해야 한다.

| 추가학습 | [수의약리학] Chapter 4 행동 개선 약물

74 ①

| 해설 |

<u>Enalapril</u>

ACE inhibitor의 한 종류로 Angiotensin Ⅰ를 활성화된 Angiotensin Ⅱ로 전환하는 ACE의 작용을 억제하는 약물이다.

Diltiazem과 Verapamil은 부정맥 치료제로 사용되며 ClassⅣ로 분류된다. Ca^{2+} 통로를 차단함으로써 세포내로의 Ca^{2+} 유입을 감소시킨다.

| 추가학습 | [수의약리학] Chapter 10 심혈관계에 작용하는 약물

75 ⑤

| 해설 |

<u>Chloramphenicol</u>

50S ribosome에 결합하여 peptide bond 형성을 억제하여 단백질 합성을 방해한다. 항균 영역은 광범위하고 대부분의 혐기성균에 유효하다. 사람에게 잔류독성이 존재하므로 식용동물에 사용은 금지하고 있다.

| 추가학습 | [수의약리학] Chapter 17 항균제

76 ④

| 해설 | **Zidovudine**
고양이의 FIV 감염 치료에 사용된다.
화학구조는 Thymidine과 유사하며 약물의 대사체인 AZT 5'-triphosphate가 DNA 형성에 필수
물질인 5'-thymidine과 경쟁하여 바이러스 DNA 합성을 방해한다.

| 추가학습 | [수의약리학] Chapter 17 항균제

77 ⑤

| 해설 | **Griseofulvin**
성장 중인 곰팡이에 침투하여, 미세관에 결합하여 방추 형성과 유사분열을 억제하는 기전으로 약물이
작용한다. *Microsporum* spp. *Trichophyton* spp.와 같은 피부사상균의 항곰팡이 제제로서
정균성이다. 약물의 활성은 피부에서 지속적으로 유지된다.

| 추가학습 | [수의약리학] Chapter 17 항균제

78 ④

| 해설 | Levamisole
선택적으로 선충류의 니코틴성 아세틸콜린 수용체를 활성화시켜 Na^+, Ca^{2+} 유입과 과도한 근수축을
유발하여 기생충을 마비시킨다. Levamisole과 Pyrantel을 동시 투여하면 독성이 증가하게 된다.

| 추가학습 | [수의약리학] Chapter 18 항기생충제

79 ①

| 해설 | Xylazine은 소에서 다른 동물종보다 훨씬 강한 진정작용을 보인다. 반추동물이 xylazine과 같은
α_2-agonist에 민감한 이유는 agonist에 대한 활성이 더 높은 α_{2D}-receptor를 가지는 반면,
nonluminant는 α_{2A}-receptor를 가지기 때문이다.

| 추가학습 | [수의약리학] Chapter 1 약물의 생체 내 동태 및 작용

80 ②

| 해설 | **Phenylephrine**
α_1-adrenergic agonist이며 고용량에서는 일부 β-adrenergic 자극 특징을 가진다.
혈관을 수축하는 기전으로 혈압을 증가시키는 약리학적 작용을 한다. IV 주입 후 압력 상승 효과는
즉시 나타나고 20분 동안 지속된다. 국소 코/기관지 막힘 완화제로도 사용할 수 있다. 약물은 간에서
대사되고 반감기는 2~3시간이다. 부작용으로 IV 처치 시 baroreflex bradycardia가 일어날 수
있으며 장기간 코에 적용 시, 코 염증과 반동성 코막힘(rebound congestion)이 일어날 수 있다.

| 추가학습 | [수의약리학] Chapter 2 말초신경계에 영향을 주는 약물들

81 ②

| 해설 |

<u>Tranexamic acid</u>

항섬유소용해제(Antifibrinolytic drug)이지만 IV bolus로 투여하였을 때, 구토를 유발하는 약물로 사용하기도 한다.

보기의 나머지 약물을 구토를 억제하는 용도로 사용할 수 있다.

| 추가학습 | [수의약리학 Chapter 12 '위장관 약리학'

82 ④

| 해설 |

<u>Tramadol</u>

합성 μ-opioid agonist로 serotonin과 norepinephrine의 재흡수를 저해시키는 약물이다. 약물의 대사는 간에서 광범위하게 대사되며 naloxone은 tramadol의 진통효과를 부분적으로만 길항할 수 있다.

| 추가학습 | [수의약리학] Chapter 3 중추신경계에 작용하는 약물

83 ⑤

| 해설 |

Benzodiazepine 계열의 약물로 Diazepam, Midazolam, Clonazepam, Lorazepam가 있으며 항경련제로 사용될 수 있다. Midazolam은 Diazepam보다 항경련/진정 효과가 더 강하지만, 작용시간은 더 짧은 특징이 있다.

고양이에게 수일간 diazepam을 투여할 경우 치명적인 급성 간괴사가 발생할 수 있으므로 고양이에서 항경련제로 사용하는 것을 추천하지 않으며 특발성 간 괴사 발생 가능성이 낮은 lorazepam 사용이 유용하다.

| 추가학습 | [수의약리학] Chapter 3 중추신경계에 작용하는 약물

84 ③

| 해설 |

<u>Propofol</u>

$GABA_A$ 수용체를 활성화시켜 마취를 유도할 수 있는 약물이다. 개와 고양이에서 흡입 마취 이전이나 혹은 짧은 시술을 하기 위한 정맥 내 마취의 유도를 위하여 사용할 수 있다. 뇌혈류량과 뇌의 산소 소비량을 감소시키는 특징이 있으므로 두부 외상이나 두개내압이 증가된 환축에서 사용하여도 안전하다. 간에서 UDP-glucuronosyltransferase (UGT)에 의해 신속 대사되어 마취 지속시간이 매우 짧지만 고양이는 해당 효소가 훨씬 적어 부작용이 발생할 가능성이 높다. IV를 빠르게 bolus dose로 투여하면 일시적인 무호흡이 흔히 일어나니 주의해야한다.

| 추가학습 | [수의약리학] Chapter 5 마취약

85 ⑤

| 해설 |

Flunixin meglumine

강력한 항염과 진통 효과를 가지며 장 및 수술 통증 치료에 사용된다. 말에서 COX-1보다 COX-2의 억제 효과가 크게 나타나며 개에서는 COX-1 억제 효과가 우선되어 나타난다. 약물은 신장을 통해 광범위하게 배설되며 뇨중의 약물 농도는 결합과 유리 형태 모두 혈장 농도보다 40배까지 높다. 부작용으로 근육 주사를 통한 투여 시 근육괴사가 나타날 수 있다.

| 추가학습 | [수의약리학] Chapter 7 비스테로이드성 항염증제

86 ③

| 해설 |

Furosemide

고리 이뇨제는 울혈성 심부전, 간 질환, 혹은 그 밖의 요인들로 인해 발생된 전신 부종과 폐, 뇌 또는 유방의 부종 등에 의해 생긴 부종액의 신속한 이동을 위해 선택되는 약물이다.

헨레고리의 굵은 상행각에서 전해질의 흡수를 저해하는 기전을 통해 작용한다. 상피 세포의 관강쪽 표면에 작용하여 세포 내로의 Na^+-K^+-$2Cl^-$ 공동 수송을 억제한다. 이뇨 작용은 소변의 pH에 의존적이지 않다. 소변으로의 Ca^{2+} 분비를 증가시키기 때문에 개와 고양이에서 고칼슘혈증과 고칼슘뇨성 신장질환을 치료하는데 쓰인다. 개의 울혈성 심부전과 연관된 부종의 치료에서 torsemide에 의해 유도되는 K^+ 배설이 furosemide보다 매우 적기 때문에 torsemide가 선호된다. 즉 체액과 전해질 불균형(특히 저칼륨혈증)이 가장 일반적인 부작용으로 나타날 수 있다.

| 추가학습 | [수의약리학] Chapter 13 이뇨제

87 ①

| 해설 |

Anticoagulant(항응고제)	Fibrinolytic(섬유소 용해제)	Antiplatelet(항혈소판제)
Heparin LMWH (Dalteparin, Enoxaparin) Warfarin Rivaroxaban	Streptokinase Tissue Plasminogen Activator	Aspirin Clopidogrel

| 추가학습 | [수의약리학] Chapter 10 심혈관계에 작용하는 약물

88 ④

| 해설 |

Mirtazapine

5-HT_2와 5-HT_3 길항제로 중추에서 norepinephrine의 방출을 촉진시켜 식욕을 촉진시키는 α_2 agonist이다. 개와 고양이에서 식욕촉진제와 항구토제로 사용할 수 있다. 부작용으로 진정 작용이 나타날 수 있다.

| 추가학습 | [수의약리학] Chapter 12 위장관 약리학

89 ③

| 해설 | Prostaglandind Analogs (PGA) - Latanoprost, Travoprost, Bimatoprost
Carbonic Anhydrase Inhibitor(CAI) - Acetazolamide, Dichlorphenamide

| 추가학습 | [수의약리학] Chapter 16 안과 약리학

90 ④

| 해설 | Cyclophosphamide
수의학에서 가장 일반적으로 사용되는 알킬화제이며 이 약물은 면역억제를 위해 사용되고
림프세망종양, 유선종양, 그 외 상피성 암(carcinoma), 연부조직육종, 다발성 골수종, 비만 세포
종양의 치료 프로토콜에 사용된다. 간에서 마이크로솜에 의해 활성형 대사체가 형성되므로 대사체가
형성되기 이전에는 비활성 상태이므로 종양에 직접적으로 주사되어서는 안 된다. 대사체는 신장을
통해 48~72시간 동안 배설된다. 가장 흔한 부작용으로 골수억제가 보일 수 있으며 덜 흔하게 탈모,
무균성 출혈성 방광염의 가능성이 있다.
Furosemide와 cyclophosphamide의 병용 투여는 cyclophosphamide 대사체가 유발할 수 있는
방광염의 위험을 감소시키고 cyclophosphamide로 인한 출혈성 방광염의 발병을 지연시킬 수 있다.

| 추가학습 | [수의약리학] Chapter 19 항암제

91 ③

| 해설 | 독성물질이 체내에서 대사를 거치면 독성이 증가할 수도, 감소할 수도 있다.

| 추가학습 | [수의독성학] 4장 '독성에 영향을 미치는 요인'

92 ⑤

| 해설 | 오존은 Clara cell의 비가역적인 손상을 일으킬 수 있다.

| 추가학습 | [수의독성학] 11장 '호흡기독성'

93 ⑤

| 해설 | 초기에는 혈관이 수축한다.

| 추가학습 | [수의독성학] 14장 '신장독성'

94 ①

| 해설 | LOEL (Lowest observed effect level)은 약물에 대한 반응을 관찰할 수 있는 최소 용량을 나타내는
지표이다.

| 추가학습 | [수의독성학] 3장 '독동학과 독력학'

95 ②

| 해설 | 해독제로 4-MP (4-Methylprazole)을 사용할 수 있다.

| 추가학습 | [수의독성학] 37장 '알코올과 글리콜'

96 ④

| 해설 | 돼지 생식기계 장애들 유발하는 곰팡이 독소는 Zearalenone이다.

| 추가학습 | [수의독성학] 11단원 '진균독소'

97 ⑤

| 해설 | 고엽제에 포함된 TCDD (2,3,7,8-Tetracholorodibenzo p-dioxin)는 다이옥신 중에서도 가장 강력한 독성을 가진다.
TCDD는 AhR (Aryl hydrocarbon receptor)에 결합하여 지속적으로 활성화시킴으로써 다양한 독성작용과 암을 유발한다.

| 추가학습 | [수의독성학] 39장 '다이옥신과 유사 화합물'

98 ③

| 해설 | 페인트에는 납이 포함되어 있으며, 납중독은 조혈장애, 신장장애 등을 유발할 수 있다.

| 추가학습 | [수의독성학] 22장 '금속과 기타원소'

99 ③

| 해설 | Cholinesterase는 체내에서 succinylcholine을 분해한다.

| 추가학습 | [수의독성학] 23장 '유기인계 및 카바메이트계'

100 ①

| 해설 | 유기염소계 살충제가 먹이사슬을 통한 농축이 일어난다.

| 추가학습 | [수의독성학] 23장 '유기인계 및 카바메이트계'

2교시 - 예방수의학

	1	2	3	4	5	6	7	8	9	10
0	⑤	④	①	①	③	②	④	⑤	②	⑤
10	①	④	③	⑤	⑤	④	②	④	①	③
20	②	②	①	④	⑤	③	②	④	①	③
30	⑤	③	③	④	①	①	③	⑤	④	③
40	④	②	⑤	①	⑤	⑤	②	④	①	③
50	②	②	②	①	④	①	⑤	③	④	②
60	⑤	③	④	③	②	④	②	①	②	④
70	①	③	②	②	③	④	②	①	③	⑤
80	③	②	④	①	⑤	③	②	⑤	④	③
90	①	①	④	③	④	④	②	①	⑤	③

01 ⑤

| 해설 | V factor와 X facrtor가 필요한 세균으로는 Haemophilus influenza가 있다. V factor 필요로 하는 세균은 Haemophilus parasuis, Haemophilus paragallinarum, Haemophilus felis 등이 있다. V factor와 X factor 필요없는 세균으로는 Haemophilus somni가 대표적이다.

| 추가학습 | 세균학

02 ④

| 해설 | 절대 호기성 세균의 예로는 *Mycobacterium*, *Bacillus*, *Pseudomonas* 등이 있다.
혐기성 세균으로는 *Clostridium*, *Bifidobacterium*, *Lactobacillus*, *Fusobacterium*, *Actinomyces*, *Streptococcus* 등이 있다.

| 추가학습 | 세균학

03 ①

| 해설 | 바이러스 증식은 One-sept curve로 증식 초기에 Eclipse period를 가진다.

| 추가학습 | 바이러스학

04 ①

| 해설 | 항원제시세포(Antigen Presenting Cell)의 예로는 대표적으로 Dendritic cell, Macrophage, B lymphocyte가 있다.

| 추가학습 | 면역학

05 ③

| 해설 | 렙토스피라는 나선균이고, 나머지 보기는 간균이다.

| 추가학습 | 세균학

06 ②

| 해설 | 편성세포내 기생균은 세포 내에서만 살 수 있으며 인공배지에서 배양할 수 없다.
② Staphylococcus aureus(황색포도상구균)은 Blood agar 혹은 Mannitol Salt agar와 같은 다양한
배지에서 배양이 가능하다.

| 추가학습 | [Medical Microbiology] Chapter 16 'Laboratory diagnosis of bacterial diseases'

07 ④

| 해설 | 바이러스는 번식을 위해 숙주 세포가 필요하며, 그 단순한 구조는 일반적으로 단백질 외피로
둘러싸인 게놈(DNA 또는 RNA, 둘 다 포함되지 않을 수 있음)으로 구성된다. 이 게놈은 바이러스에
따라 선형 또는 원형일 수 있다. 세포와 달리 바이러스는 세포벽, 소기관, 세포질과 같은 구조가
없다. 박테리아의 특정 과정을 방해하는 항생제는 바이러스에는 효과가 없지만, 특정 항바이러스
약물은 특정 바이러스 감염을 퇴치하는 데 사용될 수 있다.
④ DNA 바이러스와 RNA 바이러스가 있지만, 하나의 바이러스 입자가 게놈으로 DNA와 RNA를
동시에 포함하지는 않는다.

| 추가학습 | [Medical Microbiology] Chapter 1 'Introduction to Medical Microbiology'

08 ⑤

| 해설 | Retroviridae, Bunyaviridae, Flaviviridae, 및 Coronaviridae는 모두 단일 가닥 RNA(ssRNA)
유전체를 가지고 있으며, 모두 envelope가 있다. 반면에, Herpesviridae는 이중 가닥 DNA(dsDNA)
유전체를 가지고 있다. 따라서 가장 다른 특징을 갖는 바이러스는 Herpesviridae다.

| 추가학습 | [Medical Microbiology] Chapter 43 'Human Herpesviruses'

09 ②

| 해설 | 일부 poxvirus가 envelope이 있을 수도, 없을 수도 있지만 있는 바이러스가 더 흔하다. 따라서, 이
중에서는 envelope이 없는 Adenoviridae가 답이다.

| 추가학습 | [Medical Microbiology] Chapter 42 'Adenoviruses'

10 ⑤

| 해설 |

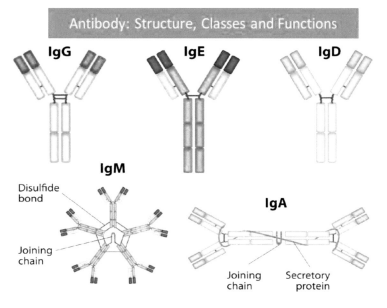

해설 그림 출처 : https://www.onlinebiologynotes.com/antibody-structure-classes-functions/

| 추가학습 | [Medical Microbiology] Chapter 7 'Elements of Host Protective Responses'

11 ①

| 해설 | 보체는 식균작용을 촉진하여 lysis를 유도한다.
이외의 기능으로 MAC 형성, 항체 반응 촉진, B cell 활성화, 염증반응 촉진 등이 있다.

12 ④

| 해설 | 럼피스킨병에 대한 백신은 개발되어 있다.

13 ③

| 해설 | Pearl disease는 결핵과 동의어이다.

14 ⑤

| 해설 | 구제역 (FMD, Foot and mouth disease) - Picocoranviridae
수포성 구내염 (VS) - Rhabdoviridae
돼지 수포성 발진 (VES) - Caliciviridae
돼지 수포병 (SVD) - Picornaviridae

15   ⑤

| 해설 | 아프리카 돼지열병의 주요한 병리적 소견으로 비장종대가 있다.

16   ④

| 해설 | 여름보다 겨울에 다발한다.

17   ②

| 해설 | 백신이 존재하긴 하지만, 백신으로 인한 브루셀라 발병으로 인하여 백신 접종을 하지 않는다.

18   ④

| 해설 | 돈단독은 인수공통전염병으로, 사람에게도 감염될 수 있다.

19   ①

| 해설 | *Pasteurella multocida*는 토끼의 호흡기계 증후군인 Snuffles를 유발한다.

20   ③

| 해설 | 말에서는 감수성이 높지만, 돼지, 소, 양에는 저항성이 있어서 자연 감염이 인정되지 않는다.

21   ②

| 해설 | Ixodes dammini 참진드기를 매개로 *Borrelia burgdorferi* 감염에 의해 발병하며, 진드기에 물린 부위 위주로 붉은 발진을 보이는 전염병의 명칭은 라임병이다.

22   ②

| 해설 | 돼지의 위축성 비염은 *Pasteurella multocida* 또는 *Bordetella bronchiseptica*에 의해 발생할 수 있다.

23   ①

| 해설 | Actinobacillus lignieressi에 의해 발생하는 질병이며, Actinomyces bovis는 방선균증의 원인체이다.

24 ④

| 해설 | 야토병의 원인체는 *Franciscella tularensis*로 양단염색이 가능하다.

25 ⑤

| 해설 | 돼지 삼출성 표피염의 원인체는 *Staphylococcus hyicus*이다.

26 ③

| 해설 | 구제역의 원인체인 FMDV는 Picornaviridae에 속하며 Single stranded RNA 바이러스이다.

27 ②

| 해설 | 바이러스 감염병으로 항생제에 대한 반응성은 떨어지나 세균 복합감염 시 항생요법이 사용되는 경우도 있다.

28 ④

| 해설 | EVA는 Arteriviridae에 속한다.

29 ①

| 해설 | 개홍역은 Paramyxoviridae에 속한다.

30 ③

| 해설 | 광견병 (rabies)에 감염된 개체는 물을 무서워하는 증상이 나타나 공수병으로 불리기도 하며, 원인체는 Rhabdoviridae의 Lyssavirus 속에 속한다. 야생 너구리의 교상이 있는 개에서 발견되기도 한다.

31 ⑤

| 해설 | *Mycoplasma gallisepticum*, Chicken Infectious Anemia, Egg Drop Syndrome, Avian Encephalomyelitis는 난계대 전염이 가능하다.

32 ③

| 해설 | 그림은 *Aspergillus*로 인해 발생한 폐 결절이며, 사양관리와 환경적 스트레스가 많으면 잘 발생할 수 있다.
그림 출처 : [Disease of Poultry, 13th] Figure 25-4, 25-5

| 추가학습 | [조류질병학] Chapte 25 '아스퍼질러스증'

33 ④

| 해설 | 오리 리메릴라 감염증의 원인체인 R.*anatipestifer*는 그람음성 간균이다.

| 추가학습 | [조류질병학] Section 5 '오리질병'

34 ⑤

| 해설 | 조류독감 (AI)은 enveloped virus로 소독제에 대한 저항성이 없다.

| 추가학습 | [조류질병학] Chapter 5 '조류인플루엔자'

35 ①

| 해설 | H5와 H7형 조류독감 바이러스 중에서도 저병원성을 나타내는 것이 존재한다.

| 추가학습 | [조류질병학] Chapter 5 '조류인플루엔자'

36 ①

| 해설 | ILT (Infectious laryngotracheitis)는 면역저하를 유발하지 않는다.

37 ③

| 해설 | 마렉병은 뉴캐슬병, 전염성기관지염(ILT) 등과 함께 1일령 백신 접종 항목에 포함된다.

| 추가학습 | [조류질병학] Chapter 13 '마렉병'

38 ⑤

| 해설 | 가금티푸스는 성계에서 발병한다.

| 추가학습 | [조류질병학] Chapter 16 '살모넬라 감염증'

39 ④

| 해설 | **에드워드 병(Edwardsiellosis)**
병원체는 그람 음성 간균인 *Edwardisella tarda*이다. 보통한천 배지상에 담백색의 광택 있는
정원혀으이 집락을 형성하고, 선택배지 (SS)상에 중심부가 흑색이고 가장자리가 투명한 작은 집락을
형성한다. 본 질병은 연중 발생하는 경향을 보이나 수온이 올라간 여름철에 다발하는 것으로
알려져있다. 외관적으로 어느 정도의 특징적인 증상을 관찰할 수 있다. 개체의 체색이 흑화되고
지느러미 및 복부 발적 및 충혈, 복부팽만, 탈장, 안구돌출 등을 보일 수 있다.
그림 출처 : https://terms.naver.com/entry.naver?docId=6212331&cid=61232&categoryId=61232

| 추가학습 | [수의 수생동물질병학]

40 ③

| 해설 | **항아리 곰팡이병(Chytridiomycosis)**
원인체는 *Batrachochytrium dendrobatidis*로 양서류에 감염되는 자낭균류이다. 운동성을 가진 유주자(zoospore)가 물을 통해 이동하여 양서류의 상피세포에 감염되고 케라틴을 영양분으로하여 유주자낭(zoosporangium)을 형성한 후 증식된 유주자가 다시 물밖으로 방출되는 생활사를 가진다. 쇠약, 무기력, 과각질화, 과도한 탈피등의 증상으로 인해 피부호흡 장애, 체내 전해질 불균형으로 인한 심장마비로 사망한다.
그림 출처 : https://pursuit.unimelb.edu.au/articles/the-invasive-fungus-threatening-earth-s-biodiversity

| 추가학습 | [수의 수생동물질병학] 제7장 미생물에 의한 수생동물의 질병

41 ④

| 해설 | **수생 양서류의 해부와 생리**
① 유생 단계에서 아가미로 호흡을 하며 꼬리를 갖는 유미류와 꼬리가 없는 무미류, 다리가 없는 무지류가 있다.
② 유생 단계에서는 내골격이 없는 지느러미를 가지고 헤엄치지만, 성체는 변태하여 쌍을 이루는 다리를 가지며, 늑골이 없으나 견갑골을 갖는다.
③ 물속에서의 유영을 위하여 발가락 사이에 물갈퀴가 발달하였으며, 청개구리 등은 나무를 기어오르기 위하여 발가락 끝에 둥근 모양의 돌기가 있다. 눈은 얇고 투명한 순막으로 보호된다.
④ 많은 점액선을 갖는 피부는 보호와 위장 기능뿐만 아니라 모세혈관이 잘 발달하여 물속에서 가스교환이 이루어지는 중요한 호흡기관이며, 양방향으로 물이 침투할 수 있는 삼투압 조절기관으로 주위의 환경 위험요소에 매우 민감하다. 따라서 피부의 투과성 때문에 건조한 곳에서 살 수 없다.
⑤ 대부분 양서류에서 유생은 어릴 때는 아가미로 수중호흡을 하고, 성장하면 비공을 통하여 허파로 공기호흡을 한다.
⑥ 자웅이체이며 체외수정을 하며 젤라틴의 막으로 둘러싸인 알을 물속에 낳는다. 무미류의 경우 암수가 몸을 밀착시켜 산락 즉시 알에 정자를 사정하는 포접을하며, 물에 알을 낳기 때문에 산란기는 강수량과 밀접한 관계가 있다. 무미류와 유미류의 일부는 체내수정을 하며, 나무나 땅위에 알을 낳는 경우도 있다. 대부분의 양서류는 난생이나, 일부 난관을 통해 영양분을 공급받아 완전 변태된 개체를 낳기도 하며(태생), 난관이나 입, 위, 피부 주머니에서 알을 보호하다가 변태 후 방출하는 난태생도 있다.
⑦ 변온동물로 2심방 1심실이며, 성체와 유생이 모두 육식성이고, 온대에서는 겨울철에 동면을 한다.
⑧ 신장은 발생학적으로 중신을 가지며, 질소 노폐물을 암모니아 상태로 총배설강을 통해 배설한다.

| 추가학습 | [수의 수생동물질병학] 제2장 수생동물의 해부와 생리

42 ②

| 해설 | 뼈 질환에 대해서 칼슘 투여가 가장 적절한 치료법이다.

| 추가학습 | [수의 수생동물질병학] 제6장 수생동물 질병의 특성과 진료

43 ⑤

| 해설 | 우리나라에서는 넙치의 에드와드병 및 연쇄구균증 그리고 이리도바이러스 감염증 백신이 국내에서
개발되어 농림축산식품부의 제조허가를 획득하여 상품화되어 시판 중이다.

| 추가학습 | [수의 수생동물질병학] 제3장 수생동물의 사육관리

44 ①

| 해설 | **주혈흡충 Schistosoma**
대표적인 종으로 S. *mansoni*, S. *heamatobium*, S. *japonicum*이 있다.
대다수의 편형동물은 자웅동체인 반면 주혈흡충은 성별이 암수로 나뉘져있다. 주혈흡충은 레디아기를
거치지 않고 피부를 뚫고 들어가는 경피감염이 인정된다. S. *mansoni*, S. *japonicum*에 감염되면
발열과 급작스러운 설사를 보일 수 있으며 S. *heamatobium*에 감염되면 요관으로 침투하여
생식기관에 육아종을 형성하여 방광 섬유화 및 용종 및 종양을 유발할 수 있다.

| 추가학습 | [수의기생충학] 제2장 연충학 제4절 편형동물류 1. 흡충류

45 ⑤

| 해설 | 태반감염은 개회충, 돼지신충, 적색폐충, 마샬사상충, 개구충, 톡소플라즈마, 네오스포라, 바베시아,
러시아 범안열원충 등 다양한 개체에서 인정된다.

46 ⑤

| 해설 | 문제의 해당 질병은 아프리카 돼지열병(African Swine Fever, ASF)로 추정할 수 있으며 사진의
진드기는 흡혈성 물렁진드기류로 *Ornithodoros* spp.에 해당된다.
그림 출처 : infravec2.ed

| 추가학습 | [수의기생충학] 제4장 절지동물학 제3절 지주강(거미강) 진드기

47 ②

| 해설 | **간모세선충(*Capillaria hepatica*)**
쥐 및 많은 다른 포유동물의 간조직에 기생할 수 있는 기생충으로 쥐의 간에 기생하는 편충과의
선충으로 인체감염을 일으킬 수 있다. 우리나라에서 사람 및 동물에 감염보고가 1993년에 최초로
증례가 보고된 바 있다. 자연계에서 감염형인 자충포장란이 인체에 섭취되면 십이지장에서 난각을
벗고 나와 장벽의 혈관 내로 침입한다. 장간막 정맥 및 문맥을 통해 간에 들어가 정착하게 된다.
충란이 외계로 배출되지 않아 간 생검에서 특징적인 충란 또는 충체를 확인하여 진단하게 된다.
그림 출처 : https://www.researchgate.net/figure/Capillaria-hepatica-eggs-in-the-liver-of-a-white-faced_fig2_2
3627390https://www.researchgate.net/figure/Capillaria-hepatica-eggs-in-the-liver-of-a-white-faced_fig2_23627390

| 추가학습 | [수의기생충학] 제2장 연충학 제2절 선형동물류 1. 선충류 개요

48   ④

| 해설 | **지상사상충(_Setaria digitata_)**
유충은 소의 복강에서 성충이 되는데, 양인 경우 성충이 되지 않고 뇌척수로 잘못 들어가 뒷다리 운동장애를 일으킬 수 있으며, 말에서는 전안방으로 들어가 각막혼탁을 유발할 수 있다.
안구 내에서 성숙하여 실명의 원인이 되기도 한다.
그림 출처 : https://www.researchgate.net/figure/Capillaria-hepatica-eggs-in-the-liver-of-a-white-faced_fig2_23627390

| 추가학습 | [수의기생충학] 제2절 선형동물류 제2장 연충학 3. 무교접낭 선충류(사상충상과)

49   ①

| 해설 | **개구충 (_Ancylostoma caninum_)**
개과 야생동물의 소장에 기생하며 구강 내 3쌍의 갈고리가 특징적이다. 주요 감염 경로는 초유감염, 감염된 음식이나 물을 섭취하면서 가능하며 드물게 태반감염이 나타나기도 한다.

| 추가학습 | [수의기생충학] 제2장 연충학 제3절 구두충류

50   ③

| 해설 | 기생충의 자충이 자연적인 숙주 외의 동물의 내장 조직에 침입하는 현상이다. 자충내장이행증을 일으키는 선충류에는 여러 종이 있으며, 개회충의 자충이 대표적으로 자충내장이행증을 보인다.

51   ②

| 해설 | **작은소참진드기 (_Haemaphysalis longicornis_)**
성충 기준으로 3mm이지만 흡혈할 경우 10mm까지 커질 수 있다. SFTS virus를 보유하고 있어 살인진드기로도 불린다.
그림 출처 : Veterinary Parasitology Fig. 11.16

| 추가학습 | [수의기생충학] 제4장 절지동물학 제3절 지주강(거미강) 진드기

52   ②

| 해설 | **소세모편모충 (_Trichomonas foetus_)**
교미에 의해 전파되는 성병이다. 소의 생식기에 주로 기생하며 조기유산을 유발한다. 충체의 전방에는 3개의 편모, 후방에는 1개의 편모, 체측에는 하나의 파동막이 존재한다. 고양이에게는 특징적으로 장염과 설사가 주로 나타난다.

Toxoplasma의 경우 유산은 일으키지만, 성병은 나타나지 않는다.

| 추가학습 | [수의기생충학] 제3장 제2절 육질편모충문 3.세모편모충류

53 ②

| 해설 |

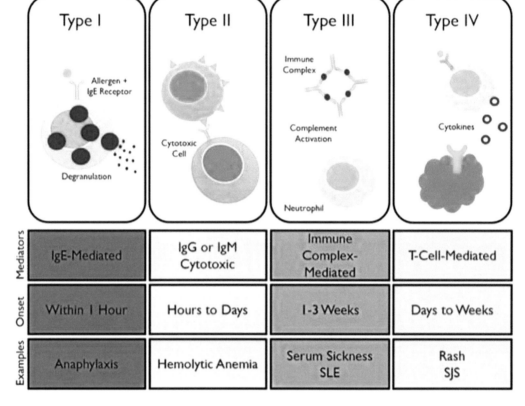

Types of Hypersensitivity Reactions

해설 그림 출처 :
https://www.grepmed.com/images/6381/hypersensitivity-diagnosis-classification-reactions-types
Hypersensitivity type II는 세포 항원에 대한 IgG/IgM 항체와 관련된 알레르기 반응의 일종으로, 다른 면역계 효과 인자에 의해 매개된 세포 손상을 유발한다. 용혈성 빈혈은 항체에 의해 적혈구가 파괴되어 혈액의 산소 운반 능력을 감소시킨다.
① SLE- Hypersensitivity type III
③ Atopic dermatitis - Hypersensitivity type I
④ Pemphigus - Hypersensitivity type II
⑤ Chronic allergic disease는 특정 Hypersensitivity type에 해당하기보다는 간헐적인/지속적인 알레르기성 염증을 유발하는 것을 말한다. Hypersensitivity type V는 자가면역 질환이 대표적이다.

| 추가학습 | [Pathologic Basis of Veterinary Disease (6th)] Chapter 5 'Diseases of Immunity'

54 ①

| 해설 | Mycobacterium bovis에 의한 소 결핵의 육아종에서는 건락괴사가 두드러진다. M.bovis는 세포를 매개로 하는 type IV hypersensitivity가 나타내기 전까지 세포벽의 존재로 대식세포의 리소좀 효소에 의한 파괴를 막으며 세포 내에서 복제한다. 이에 따라 cytotoxic T 림프구가 감염된 대식세포를 파괴하며 감염된 장기의 실질 세포도 파괴한다.
그림 출처 : Pathologic Basis of Veterinary Disease (6th) Fig. 1-18

| 추가학습 | [Pathologic Basis of Veterinary Disease (6th)] Chapter 1 'Mechanisms and morphology of cellular injury, adaptation, and death'

55 ④

| 해설 | 돼지열병(Classic Swine Fever; CSF)의 병변은 아프리카돼지열병(African Swine Fever; ASF)과 유사하나 그것보다 정도가 조금 덜하다.
A) 바이러스의 분리 및 동정을 위해 채취하는 편도선을 보면, 출혈 및 괴사 병변 (화살표), 점막 상피 세포 괴사 등 관찰 가능
B) 신장. 피질 표면에는 수많은 점성 출혈이 무작위로 분포.
C) 장간막림프절(화살표)가 확대되어 있고 혈관 손상으로 울혈되어 피막하 부비동 (subcapsular sinuses)에 혈액이 고여 있음.
D) 편도선와림프절 결절 (Tonsillar crypt lymphoid nodules)에서 바이러스 감염으로 인한 결절의 림프구 (이미지 오른쪽 하단) 관찰 가능. H&E stain.
그림 출처 : Pathologic Basis of Veterinary Disease (6th) Fig. 4-41

| 추가학습 | [Pathologic Basis of Veterinary Disease (6th)] Chapter 4 'Mechanisms of Microbial Infection'

56 ①

| 해설 | 혈관주위세포침윤 (Perivascular cuffing)은 주로 중추신경계에 바이러스가 감염될 경우 혈관 주위에 나타나는 염증의 조직병리학적인 특성 중 하나다. ①소해면상뇌증(BSE)은 바이러스가 아니라 다른 단백질이 비정상적으로 접히도록 유도하는 프리온에 의해 발생한다. BSE는 뇌 조직에 액포나 구멍이 생기는 해면상 변화를 일으킨다.
다른 질병들은 모두 바이러스 감염으로 감염된 동물의 뇌에 혈관주위세포침윤을 일으킬 수 있다.
그림 출처 : Pathologic Basis of Veterinary Disease (6th) Fig. 14-96

| 추가학습 | [Pathologic Basis of Veterinary Disease (6th)] Chapter 14 'Nervous System'

57 ⑤

| 해설 | 부종(Edema)은 형태학적으로 투명하거나 약간 노란색의 소량의 단백질 또는 소량의 염증 세포 (삼출액)를 포함하며 이는 간질을 확장시키거나 두껍게 만든다.
⑤ 나트륨이 저류되어야 부종이 생긴다.
나머지 보기는 모두 부종이 생기는 원인들이며 이들은 각각 독립적으로 부종을 유발하기도 하고 다른 원인들과 같이 부종을 유발하기도 한다.
그림 출처 : Pathologic Basis of Veterinary Disease (6th) Fig. 2-7

| 추가학습 | [Pathologic Basis of Veterinary Disease (6th)] Chapter 2 'Vascular Disorders and Thrombosis'

58 ③

| 해설 | 액화 괴사에서는 세포가 용해되고 괴사 조직이 액체 상태로 전환된다. 이러한 현상을 일반적으로 뇌나 척수 실질에서의 괴사의 마지막 단계로 나타나는데, 이는 조직 구조를 지지하는 섬유성 간질 (fibrous interstitum)이 부족하고 중추신경계의 세포는 지질과 용해성 효소가 많기 때문이기도 하다.
그림 출처 : Pathologic Basis of Veterinary Disease (6th) Fig. 1-19

| 추가학습 | [Pathologic Basis of Veterinary Disease (6th)] Chapter 1 'Mechanisms and morphology of cellular injury, adaptation, and death'

59 ④

| 해설 |

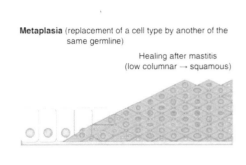
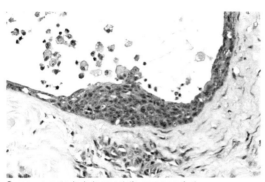

Squamous metaplasia in an ectatic mammary duct

그림 출처 : Pathologic Basis of Veterinary Disease (6th) Fig. 1-25

Metaplasia는 하나의 분화된(성숙한) 세포 종류에서 같은 germ line에서 다른 분화된 세포 종류로 바뀌는 것을 말한다. 일반적으로 편평상피세포의 metaplasia는 만성 감염 (만성 유선염의 젖샘 등), 호르몬의 불균형 (전립샘에서 에스트로겐에 의한 편평상피 metaplasia), 비타민 A 결핍, 혹은 trauma로 인해 발생한다.

| 추가학습 | [Pathologic Basis of Veterinary Disease (6th)] Chapter 1 'Mechanisms and morphology of cellular injury, adaptation, and death'

60 ②

| 해설 | 적혈구가 혈관 내에서 용혈되면, 방출된 헤모글로빈은 혈장이나 혈청에 투명한 분홍색 색조를 띠게 된다. 신장에서 혈관 내 헤모글로빈은 사구체 모세혈관을 통해 요 여과액으로 전달되어 세뇨관에 헤모글로빈 "cast"가 형성되고 소변이 붉게 변색한다.
그림 출처 : Pathologic Basis of Veterinary Disease (6th) Fig. 1-50

| 추가학습 | [Pathologic Basis of Veterinary Disease (6th)] Chapter 1 'Mechanisms and morphology of cellular injury, adaptation, and death'

61 ⑤

| 해설 | 사진은 돼지에서 초기 정맥 경색 (venous infarction)을 겪는 소장의 심하게 꼬인 고리모양의 경색. 동맥이 아닌 정맥을 압박하는 정맥류에 의해 정맥이 압박되어 정맥이 되돌아오지 못한다. Volvulus가 더 회전했다면, 동맥도 압박했을 것이다.
그림 출처 : Pathologic Basis of Veterinary Disease (6th) Fig. 2-40

| 추가학습 | [Pathologic Basis of Veterinary Disease (6th)] Chapter 2 'Vascular Disorders and Thrombosis'

62 ③

| 해설 | 선천성 거대식도는 일반적으로 식도의 부분적인 막힘에 의해 발생한다. 식도 내강이 지속적으로 오른쪽 네 번째 대동맥궁에 의해 막히기 때문이다. 아치(arch)의 지속석으로 인해 식도와 기관 주위에 혈관 고리가 형성되어 식도의 완전한 확장을 방지한다. 이 고리는 대동맥, 폐동맥 및 동맥관에 의해 형성된다. 이러한 형태의 거대식도는 식도 폐쇄와 그에 따른 확장이 두개골에서 심장까지 발생한다는 점이 특이적이다. 지속적인 오른쪽 대동맥궁은 저먼 셰퍼드, 아이리쉬 세터, 그레이하운드에서 유전적으로 발생할 가능성이 높다. 다른 모든 형태의 거대 식도는 두개골에서 위까지 확장된다.
그림 출처 : Pathologic Basis of Veterinary Disease (6th) Fig. 7-56

| 추가학습 | [Pathologic Basis of Veterinary Disease (6th)] Chapter 7 'Alimentary System and the Peritoneum, Omentum, Mesentery, and Peritoneal Cavity'

63 ④

| 해설 | Button ulcer는 결장의 점막과 점막밑층에 깊은 궤양을 일으키는 질병으로, 주로 궤양성 대장염이나 살모넬라균 감염과 관련이 있다. Lawsonia를 제외한 4개의 질환 모두 Button ulcer를 유발한다.
그림 출처 : Pathologic Basis of Veterinary Disease (6th) Fig. 7-119

| 추가학습 | [Pathologic Basis of Veterinary Disease (6th)] Chapter 7 'Alimentary System and the Peritoneum, Omentum, Mesentery, and Peritoneal Cavity'

64 ③

| 해설 | 소와 말에서 간의 가장자리에 있는 실질의 창백한 영역은 흔한 편이다. 일반적으로 인대의 부착점 근처에서 발생하며 이러한 부착이 피막에 계속해서 tension을 줌으로써 간의 실질에 혈액의 공급을 막는 것으로 보인다. 영향을 받는 간세포는 세포질 내에 지방을 축적할 가능성이 크다 (지방증). 병변은 기능적으로 중요하지는 않다.
그림 출처 : Pathologic Basis of Veterinary Disease (6th) Fig. 8-32

| 추가학습 | [Pathologic Basis of Veterinary Disease (6th)] Chapter 8 'Hepatobiliary System and Exocrine Pancreas'

65 ②

| 해설 | 다낭신장(Polycystic kidneys)는 많은 네프론이 포함된 낭이 많은 것을 말한다. 소동물에서는 페르시안 고양이와 불 테리어(bull terrior)에서 유전적으로 나타나는 특성 중 하나이다. 이는 하나 또는 그 이상의 특정 유전자 (PKD-1 and/or PKD-2)의 변이와 이와 연관된 단백질 (polycystin-1 and polycystin-2) 기능의 변화로 발생한다. 다낭신장의 단면은 "스위스 치즈 (Swiss cheese)"와 같다고도 한다. 낭이 커지면 이는 주변 실질을 압박하여 위축(atrophy)을 유발한다. 신장 실질의 많은 부분이 다낭성이라면, 신장 기능 자체도 손상될 가능성이 있다.
그림 출저 : Pathologic Basis of Veterinary Disease (6th) Fig. 11-26

| 추가학습 | [Pathologic Basis of Veterinary Disease (6th)] Chapter 11 'The Urinary System'

66 ④

| 해설 | 갑상샘종(goiter)은 갑상선의 비종양성 비대를 말한다. 이는 여포세포 (follicular cell) 증식 (hyperplasia)의 결과로 나타나지만 여포세포가 증식한다고 해서 꼭 눈에 띄게 커지는 것도 아니다. 이것의 원인으로는 요오드 결핍, 요오드 과잉, 갑상샘 호르몬의 합성과정에서의 결함 등이 있다. 사진에 나와있는 개체의 경우 어미 염소의 임신 중 요오드 결핍으로 인해 양 엽(lobe) 모두 갑상샘 여포 세포의 증식이 일어났다.

그림 출처 : Pathologic Basis of Veterinary Disease (6th) Fig. 12-23

| 추가학습 | [Pathologic Basis of Veterinary Disease (6th)] Chapter 12 'Endocrine System'

67 ②

| 해설 | 신경 세포 퇴행의 유형은 다양할 수 있으며 일반적으로 호염기구증가(basophilia)와 세포질 공포 (cytoplasmic vacuolation)로 인한 수축이 특징이다. 이 외에도 중심 염색질융해 (central chromatolysis), 허혈성 세포 (ischemic cell)의 변화 등이 나타날 수 있다.

(조직사진 설명) 뉴런 세포체는 하나 이상의 개별 및/또는 합쳐진 투명한 액포(사진에서 V)를 포함한다. 이 질환에는 염증 세포가 없다. 유사한 해면체증(spongiosis)는 neuropil에서 분명하다. H&E stain.

그림 출처 : Pathologic Basis of Veterinary Disease (6th) Fig. 14-55

| 추가학습 | [Pathologic Basis of Veterinary Disease (6th)] Chapter 14 'Nervous System'

68 ①

| 해설 | 카타르염증(Catarrhal inflammation)은 점막 상피가 두꺼워지고 미끌미끌한 점액층이 덮는 것이 특징이다. 화농성 염증은 농을 형성하는 많은 호중구를 포함한 세균 감염에 의한 염증이다. 육아종성 염증은 대식세포와 거대세포(giant cell)이 주로 차지하는 만성 염증이다. 괴사성 염증은 조직의 괴사와 용혈이 일어나는 염증이다. 섬유성 염증은 감염된 조직의 표면에 피브린(fibrin)이 쌓여있는 것이 특징이다.

그림 출처 : Pathologic Basis of Veterinary Disease (6th) Fig. 3-17

| 추가학습 | [Pathologic Basis of Veterinary Disease (6th)] Chapter 3 'Inflammation and Healing'

69 ②

| 해설 | Anaplastic liposarcoma는 지방 조직의 악성 종양으로, 지방세포가 분화를 하지 못한 실질세포와 비슷하게 변한 것을 말한다. 화살표가 가리키는 세포는 종양거대세포로, 핵이 여러 개이거나 하나의 큰 핵이 있는 종양 세포다. 이들은 상피 혹은 실질에서 기원한 역형성 종양에서 주로 보이며 이것이 있다는 것은 매우 높은 정도의 악성임을 나타낸다.

그림 출처 : Pathologic Basis of Veterinary Disease (6th) Fig. 6-6

| 추가학습 | [Pathologic Basis of Veterinary Disease (6th)] Chapter 6 'Neoplasia and Tumor Biology'

70 ④

| 해설 | ④ 기관지확장증은 고름성 막(pyogenic membrane) 때문에 발생하는 것이 아니라 점액섬모청소(mucociliary clearance)를 손상시키고, 만성 감염에 걸리기 쉽게 만들며 기관지의 감염을 유발하는 여러 원인들에 의해 발생한다. Pyogenic membrane은 폐농양 (pulmonary abscess) 주변에 형성되는 결합조직을 의미한다.
그림 출처 : Pathologic Basis of Veterinary Disease (6th) Fig. 9-11

| 추가학습 | [Pathologic Basis of Veterinary Disease (6th)] Chapter 9 'Respiratory system, mediastinum, and Pleurae'

71 ①

| 해설 | 간 질환은 개에서 응고항진상태 (hypercoagulable state)의 흔한 원인이며 이는 비장 경색으로 이어질 수 있다. 과다응고는 피덩이 (blood clot)가 평소보다 더 쉽게 생성되는 상태를 말하며 이는 혈전증과 조직의 허혈로 이어진다. 비장 경색은 사진과 같이 주로 비장의 가장자리에서 V자 모양 (wedge-shaped)이거나 삼각형의 용혈성 병변으로 나타난다.
나머지 보기는 개가 아니라 다른 종에 해당하거나 (③,④) 과다응고를 유발하지 않는 (①,②) 보기다.
그림 출처 : Pathologic Basis of Veterinary Disease (6th) Fig. 13-64

| 추가학습 | [Pathologic Basis of Veterinary Disease (6th)] Chapter 13 'Bone Marrow, Blood Cells, and the Lymphoid/Lymphatic System'

72 ③

| 해설 | 소에서 호산구증다성근염은 호산구가 침윤하며 초록색으로 근육 색이 변하는, 소에서 골격근에 감염되는 상태를 말한다. 초록색으로 변색이 되는 것은 퇴화하는 근육포자충이 원인이며 근육포자충은 근섬유를 감염시키는 원충이다. 다른 보기는 초록색 병변의 원인이 아니다.
그림 출처 : Pathologic Basis of Veterinary Disease (6th) Fig. 15-10

| 추가학습 | [Pathologic Basis of Veterinary Disease (6th)] Chapter 15 'Skeletal muscle'

73 ②

| 해설 | 노로바이러스는 다른 장 바이러스보다 chlorine에 저항성이 강하므로 살균세척제를 사용하여 바이러스의 살균할 때 세심한 주의가 필요하다.

| 추가학습 | [식품위생학] Chapter 3.8 '바이러스성 식중독'

74 ②

| 해설 | 이질은 사람과 원숭이에서만 발생한다.

| 추가학습 | [수의역학 및 인수공통전염병학] Chapter 3 '세균성 인수공통전염병'

75 ③

| 해설 | SO2는 LA형 스모그보다는 런던형 스모그와 연관성이 크다.

명칭	런던형 스모그	로스앤젤레스형 스모그 (LA형 스모그)
색	회색	연갈색
오염물질	먼지와 SoX(황산화물)	Nox(질소산화물), 탄화수소
원인	난방시설과 공장지대	자동차 배기가스와 산업발전
조건	겨울,새벽, 안개, 습도	여름, 낮, 약한 바람, 저습도
피해	호흡기질환(내부질환)	눈, 코(외부질환) 기도점막자극

| 추가학습 | [환경위생학] Chapter 2 '환경오염과 공해'

76 ④

| 해설 | 감염형 식중독은 섭취한 식품에 원인 미생물이 생존해 있어야 한다. 소화관을 통과하며 장점막에 정착 및 성장하면서 endotoxin을 산생하게 된다. 일반적으로 24시간 이후 증상이 출현하고 대표적으로 Campylobacter jejuni와 EIEC, EAEC, EPEC와 같은 대장균이 존재한다. Campylobacter jejuni는 오염된 음식이나 물을 통해 전파되고, 드물게 환자 또는 병원체보유자의 대변 직접 접촉에 의한 감염도 가능하다. Campylobacter라는 의미는 구부러진 세균이라는 의미로 감염에 의한 위장염 발생시 jejunum의 점막 조직에 손상을 입히기 때문에 jejuni라는 종명이 붙게 되었다.

| 추가학습 | [식품위생학] Chapter 3 '식품과 건강장애'

77 ②

| 해설 | 기존 자료의 활용은 환축-대조군 연구에서 가능하다.

| 추가학습 | [수의역학 및 인수공통전염병학] Chapter 5 "Chapter 2 '골격계통과 근육계통'

78 ①

| 해설 | 해당 내용은 코호트 연구에 대한 설명이다.

| 추가학습 | [수의역학 및 인수공통전염병학] Chapter 2 '역학 및 질병통계'

79 ③

| 해설 | 문제의 그래프는 범유행성(pandemic)을 나타낸 그래프로 아주 넓은 지역에 걸친 대규모의 유행성, 산발병 조건과 비슷한 그래프이다. 대표적인 예로 신종플루와 최근 발생한 코로나19 등이 있다. 그림 출처 : 수의역학 및 인수공통전염병학 그림 2-6

| 추가학습 | [수의역학 및 인수공통전염병학] Chapter 2 '역학 및 질병통계'

80 ⑤

| 해설 | 세균성 이질은 영장류에게만 감염이 되는 것으로 알려져있다.
이질균(Shigella spp.)은 그람음성 막대균으로 S. dysenteriae, S. flexneri, S. boydii, S. sonnei(각각 serogroup A, B, C, D에 해당) 등이 있다. 이질균의 점막 침입에 의해 전형적인 양상인 혈액, 점액 및 화농성 설사가 나타나는 것이 특징적이다.

| 추가학습 | [수의역학 및 인수공통전염병학] Chapter 3 '세균성 인수공통전염병'

81 ③

| 해설 | 신증후군 출혈열은 등줄쥐(한탄 바이러스), 집쥐(서울 바이러스)가 한타바이러스 속 바이러스에 감염되면 무증상 상태로 타액, 소변, 분변을 통해 바이러스를 체외로 분비, 이것이 건조되어 먼지와 함께 공중에 떠다니다가 호흡기를 통해 사람에게 감염되는 것으로 알려져있다.
사람 간 전파는 일어나지 않는 것으로 알려져 있고, 주요 전파원 및 숙주는 설치류이다. 대체로 발열기, 저혈압기, 핍뇨기, 이뇨기, 회복기 등 5단계의 특징적인 임상양상을 보인다.

| 추가학습 | [수의역학 및 인수공통전염병학] Chapter 5 '바이러스성 인수공통전염병'

82 ②

| 해설 | 아프리카 돼지열병은 진드기 매개이고 나머지는 보기는 모기 매개의 전염병이다.

| 추가학습 | [수의역학 및 인수공통전염병학] Chapter 5 '바이러스성 인수공통전염병'

83 ④

| 해설 | 교토 의정서에서 정한 6종의 온실가스로는 CO_2(이산화탄소), CH_4(메탄), N_2O(아산화질소), HFC(수소플루오르화탄소), PFC(과플루오르화탄소), SF_6(육플루오르화황)가 있다.

| 추가학습 | [환경위생학] Chapter 2 '환경오염과 공해'

84 ①

| 해설 | A(암페어)는 전류의 단위를 나타내는 것이다..

| 추가학습 | [환경위생학] Chapter 2 '환경오염과 공해'

85 ⑤

| 해설 | 생물 화힉적 신소 요구량(BOD)은 물이 오염된 징도를 나타내는 지표로, 호기성 박테리아가 일정 기간(보통 섭씨20도에서 5일간) 동안 수중의 유기물을 산화·분해시켜 정화하는 데 들어가는 산소요구량을 의미한다.

| 추가학습 | [환경위생학] Chapter 2 '환경오염과 공해'

86　③

| 해설 |　최적의 배양온도는 35~40℃이다.

| 추가학습 |　[식품위생학] Chapter 3 '식품과 건강장애'

87　②

| 해설 |　DFD 현상은 Dark, Firm, Dry의 뜻으로 도축 전 영양 부족이나 피로로 인해 pH가 상승한 상태에서 근내 glycogen이 소실되어 근육이 자적색~검게 되며 단단하고 건조하게 되는 현상을 말한다.

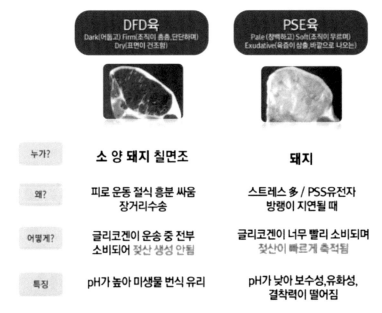

그림 출처 : https://soulmateba.tistory.com/192

| 추가학습 |　[식품위생학] Chapter 7 '도축검사'

88　⑤

| 해설 |　식품에서의 검출불가 항목으로는 니트로푸란 제제 및 대사물질, Chloramphenicol, Vancomycin, Malachite green, Diethylstilbestrol, Clenbuterol, Dimetridazole, Chlorpromazine, Thiouracil, Colchicine, Pyrimenthamine, MPA 등이 있다.

| 추가학습 |　[식품위생학] Chapter 9 '식품의 유해물질 잔류'

89 ④

| 해설 | 완속여과란 모래층을 통해 원수를 4~5m/day의 여과속도로 침투, 유하시키거나 자연유하로 물을 흘려 보내 중력의 힘으로 여과를 하는 방식을 말한다. 비교적 양호한 원수에 효과적인 방법이고 수중의 현탁물질이나 세균의 제거가 가능하며 일정 범위내에서 암모니아 성질소, 악취, 철, 망간, 합성세제, 페놀 등의 제거가 가능하다.
급속여과에 비해 건설비가 높지만 유지비가 낮으며, 손실수두도 적은 편이다.

	완속여과	급속여과
여과속도	4~5m/day	120~150m/day
균등계수	2.0 이하	1.7 이하
공극률	적음	큼
처리수 수질조건	저농도 적합	고농도 적합
미생물 제거율	양호	좋지않음
약품주입	안함	함
유지비	낮음	높음
건설비	높음	낮음
손실수두	적음	큼

| 추가학습 | [환경위생학] Chapter 1 '환경위생학 개론'

90 ③

| 해설 | 파리매개 질병으로는 티푸스, 이질, 살모넬라, 콜레라 등이 있다. 미주성 출혈열은 쥐 매개의 전염병이다.

| 추가학습 | [수의역학 및 인수공통전염병학] 제3편 '인수공통전염병'

91 ①

| 해설 | 모기 매개의 전염병으로는 서나일뇌염, 일본뇌염, 소 유행열, 황열, 블루텅, 뎅기열, 말라리아, 조류세망내피증, 아까바네, 이바라키, 사상충, 아프리카 마역, 야토병, 츄잔병 등이 있다.

| 추가학습 | [수의역학 및 인수공통전염병학] 제3편 '인수공통전염병'

92 ①

| 해설 | HACCP 적용을 위한 준비단계의 순서는 HACCP 팀 구성 - 식품특성과 취급 방법 기술 - 식품 사용 용도 기술 - 공정흐름도 작성 - 공정흐름도 검증이다.
-제1단계 : HACCP팀을 구성한다.
HACCP 관리계획 개발을 주도적으로 담당할 HACCP팀을 구성하는 것이다. HACCP 도입과 성공적인 운영은 최고경영자의 실행 의지가 결정적인 영향을 미치므로 최고경영자의 직접적인 참여를 포함시키는 것이 바람직하며, 핵심요원들을 포함시켜야 한다.
-제2단계 : 제품의 설명서를 작성한다.
취급하는 각 식품의 종류, 특성, 원료, 성분, 제조 및 유통방법 등을 포함하는 제품에 대한 전반적인 취급내용이 기술되어 있는 제품설명서를 작성하는 것이다
-제3단계 : 제품의 사용용도를 파악한다.
해당식품의 의도된 사용방법 및 대상 소비자를 파악하는 것이다. 해당식품을 그대로 섭취할 것인가 아니면 가열조리후 섭취할 것인가 여부, 조리 가공방법 및 다른 식품의 원료로 사용되는가 여부 등의 예측 가능한 사용방법과 범위를 명확히 하여야 한다.
-제4단계 : 공정흐름도, 평면도를 작성한다.
HACCP 팀은 업소에서 직접 관리하는 원료의 입고에서부터 완제품의 출하까지 모든 공정단계들을 파악하여 공정 흐름도(Flow diagram)를 작성하고 각 공정별 주요 가공조건의 개요를 기재한다. 이때 구체적인 제조공정별 가공방법에 대하여는 일목요연하게 표로 정리하는 것이 바람직하다.
-제5단계 : 공정흐름도, 평면도가 작업현장과 일치하는지 확인한다.
작성된 공정흐름도 및 평면도가 현장과 일치하는 지를 검증하는 것이다.공정흐름도 및 평면도가 실제 작업공정과 동일한지 여부를 확인하기 위하여 HACCP팀은 작업현장에서 공정별 각 단계를 직접 확인하면서 검증하여야 한다.

| 추가학습 | [식품위생학] Chapter 6 'HACCP 시스템'

93 ④

| 해설 | 사진은 설치류의 Chromodacryorrhea(혈루증)에 대한 사진이다. 설치류에는 Harderian gland가 존재하는데 이 샘은 Melatonin과 Porphyrin을 분비하는 것으로 알려져 있다. 이때, Porphyrin이 과량 분비되게 되면 코와 눈가에 메마른 피 같이 보이는 경우가 있어 이를 혈루증이라 부른다.
그림 출처 : https://www.merckvetmanual.com/exotic-and-laboratory-animals/rodents

| 추가학습 | [실험동물의학] Chapter 2 '마우스의 생물학적 특징 및 질병'

94 ③

| 해설 | **Lee-boot** 현상이란 대규모 사육 암컷의 발정 억압 현상을 말한다.
Whitten effect는 한 집단에서 같이 사육되는 암컷 무리에 한 마리의 수컷을 노출시키면서 수컷 urine의 페로몬에 의해 발정동기화가 일어나는 현상을 말한다.
Bruce effect는 다른 계통의 낯선 수컷과 최근 번식한 암컷 마우스가 만나면 암컷의 위임신 혹은 착상방해가 일어나는 현상을 말한다.
Vanderbergh effect는 성 성숙 이전의 암컷이 성적으로 성숙한 수컷의 페로몬이 함유된 오줌에 노출되면 조기 성성숙 효과가 나타나는 현상을 말한다.

| 추가학습 | [실험동물의학] Chapter 25 '동물 연구에 영향을 미칠 수 있는 인자들'

95 ④

| 해설 | 동물실험에 대한 일반적 원칙인 3R원칙.

Replacement : 동물실험의 대체 사용방법 강구. 동물실험을 수행하지 않고도 연구의 목적을 달성할 수 있는 방법이 있다면 이것으로 동물실험을 대신하는 것을 말한다.

Reduction : 실험동물 사용 수 축소. 가능한 실험에 사용되는 동물의 수를 줄이는 것으로, 보다 적은 수의 동물을 사용하여 이에 상응할 만한 정보를 얻거나, 동일한 동물수로부터 더 많은 정보를 얻기 위한 방법을 모색하는 것을 말한다. 이때 통계적으로 의미있는 분석을 할 수 있는 만큼의 동물 수는 허용된다.

Refinement : 실험동물의 고통 최소화. 동물실험을 대체할 수 없어 최소한으로 동물을 이용할 경우 동물에게 가해지는 비인도적 처치의 발생을 감소시켜 주는 것을 의미한다.. 다시 말하자면 실험동물에게 가해지는 고통과 스트레스를 경감시키고 동물의 복지를 향상시키는데 그 목적이 있다.

| 추가학습 | [실험동물의학] Chapter 1 '서론'

96 ④

| 해설 | LEW는 자가면역 질환 연구에 적합한 모델이다.

| 추가학습 | [실험동물의학] Chapter 3 '랫드의 생물학적 특징과 질병'

97 ②

| 해설 | 마우스의 이유기는 21일로 알려져있다.

주요계통	inbred	AKR, BALB/c, C57BL/6등	mutant	BALB/c-nu, ICR-nu등
	Outbred	ICR	mongrel	BDF1, CBF1등
생리치	성체의 체중	M 20~40g, F 18~35g, 출생시 1~2g	평균 수명	1~3년, 보고된 최대 수명 4년
	음수량	5ml/일	사료 섭취량	4~6g/일
	체온	36.5~38.0℃	성성숙 수컷	45~60일(25일에 정소 하강, 35일에 정자 형성)
	암컷	35~50일(질개구 25~30일)	임신기간	18~22일
	유두수	5쌍(흉부 3쌍 복부 2쌍)	산자수(원교계)	6~13마리
	근교계	4~8마리	개안(開眼)	12~13일
	이유기	21일	심박수	624(486~738)회/분
호흡 혈액 백혈구	혈압	111(93~138)mmHg	총 혈액량	7.8(4.8~12.1)ml/100g체중
	호흡수	163(84~230)회/분	호흡량	0.15(0.09~0.23(ml/분)
	적혈구수	9.3(7.7~12.5)x105㎣	HCT	41.5(39.5~50.6)%
	총수	8.0(4.0~12.0)×103/㎕	호중구	25.5(12~44)%
	임파구	68(54~85)%	단구	4(0~15)%
	호산구	2(0~5)%	호염기구	0.5(0~1.5)%
	혈소판수	600(100~1000)×103㎕	1회 최대 채혈량	5ml/kg
	응고시간	2~10분		

그림 출처 : http://chaiacuc.co.kr/index/iacuc_04_d.php

| 추가학습 | [실험동물의학] Chapter 2 '마우스의 생물학적 특징 및 질병'

98 ①

| **해설** | Sendai 바이러스는 사람에게만 병원성을 보이는 것으로 알려져 있다. 랫드는 무증상을 보이며 자가치유가 가능하다.

| **추가학습** | [실험동물의학] Chapter 3 '랫드의 생물학적 특징과 질병'

99 ⑤

| **해설** | Gnotobiotes 동물은 보유하고 있는 미생물총의 모든 것이 명확하게 알려져 있는 실험동물을 의미한다. Specific Pathogen Free 동물은 가지고 있지 않은 미생물총이 명확한 실험동물을 의미한다.

| **추가학습** | [실험동물의학] Chapter 24 '형질전환 및 유전자 결손 마우스'

100 ③

| **해설** | 햄스터의 임신기간은 대략 21일로 알려져있다. 페럿은 대략 42일, 토끼는 대략 30일, 기니피그는 60~69일, 비글은 63일 정도이다.

| **추가학습** | [실험동물의학] Chapter 4 '햄스터의 생물학적 특징과 질병'

3교시 - 임상수의학 Ⅰ

	1	2	3	4	5	6	7	8	9	10
0	①	②	⑤	③	④	③	②	⑤	①	④
10	⑤	④	②	③	③	④	⑤	③	③	①
20	①	⑤	④	③	③	③	④	④	⑤	⑤
30	②	②	①	③	⑤	③	⑤	②	③	①
40	⑤	④	①	③	⑤	⑤	①	⑤	①	③
50	①	①	④	⑤	③	②	①	⑤	③	⑤
60	①	③	②	④	⑤	②	①	④	③	①
70	⑤	①	③	⑤	①					

01　①

| 해설 |　**제엽염 (Laminitis)**

이 병은 특히 말에 많이 발생한다. 곡물의 과식으로 인한 소화관 내의 이상 때문에 생기는 세균독소나 자궁염 또는 말의 후산정체와 같은 국소염증과 관련된 것으로 알려져 있다. 곡물을 먹이는 말에서 농후사료를 과다 섭취하면 발병할 수 있다.

| 추가학습 |　[대동물내과학] 제 14장 알레르기성 질병

02　②

| 해설 |　**식염 중독 (Sodium Chloride Poisoning)**

과량의 식염 섭취는 소화관에 염증을 유발하여 위장염과 설사의 원인이 된다.

급성중독의 증상 : 소에서 주로 소화관 장애를 일으키게 되어 구토, 설사, 복통 및 식욕감퇴 등을 볼 수 있다. 신경증상으로는 맹목, 부전마비 및 구절굴곡 등이 현저하다. 임상증상 발현 24시간 이내에 죽게되는 경우가 많다. 돼지에서는 소화관 병변보다 신경계 병변에 의한 증상이 뚜렷하다. 쇠약, 허탈, 근진전, 간대성 경련, 이상보행, 혼수 등이 나타나며 48시간 경과 후 폐사하게 된다.

만성중독의 증상 : 초기에는 맹목, 난청 등이 나타난다. 목적 없이 방황하고 물체에 머리를 받거나 선회하기도 한다. 간대성 경련이 나타날 수 있으며 경련 중 이갈기와 침흘림 및 호흡곤란을 보인다.

| 추가학습 |　[대동물내과학] 제 16장 중독학

03　⑤

| 해설 |　**산욕마비; 유열 (Milk fever)**

본 질병은 젖소의 분만과 비유 개시에 수반하여 발생하는 급격하고 치사적인 Ca의 대사장애이다. 증상은 흥분, 경련, 마비 등의 신경증상 및 체온 저하, 저칼슘혈증을 특징적으로 보인다. 비유능력이 높고 4~6회 분만한 6~10연령의 비유 최성기의 젖소에서 다발한다. 또한 순산으로 후산정체가 없는 소에서 발생하기 쉽다. 본 질병은 거의 모든 예에서 분만 후 3일 이내에 발생한다. 진단 시에는 속발증 또는 합병증의 유무에 유의해야한다. 합병증은 병초부터 또는 경과 중에 종종 나타난다. 흥분, 경련 등의 증상이 강하던가 또는 지속되는 경우에는 저마그네슘혈증의 합병을 의심할 수 있다. 또한 근육, 신경, 골 및 관절의 손상에 의한 산후 기립불능증과 구별해야 한다. 치료를 위해서는 Ca제의 대량 주사와 유방 송풍이 현저한 효과를 나타낼 수 있다. 유열을 예방하기 위해서는 분만 후 3일 이내에는 송아지의 포유량 정도만 착유하고 착유를 제한하여 예방할 수 있다.

| 추가학습 |　[대동물내과학] 제 18장 대사성 질병

04 ③

| 해설 | **마비성 근색소뇨증**

말의 급성 질병이며 장기간의 휴식 후 운동을 시켰을 때 다발하며 다량의 땀과 근색소뇨를 보이면서
이어서 갑작스러운 후구마비를 보이는 것이 특징이다. 운동하지 않는 휴식 기간에 대량의 glycogen이
저장되고 운동을 다시 시작함에 따라 대량의 젖산이 생성됨으로써 근육의 피로, 순환장애 및
운동장애가 나타나면서 병발하게 된다. 주로 운동 개시 후 15분에서 1시간 이내 발생하며 충분한
휴식을 시키면 2~3시간 이내 증상이 없어지기도 하나 대개는 진행되어 기립불능으로 되는데
처음에는 흉와자세를, 나중에는 횡와자세를 취하게 된다. 오줌은 근색소와 혈색소를 함유하기 때문에
분광광도계로 측정해보면 혈색소와 구분이 가능하다.

| 추가학습 | [대동물내과학] 제 18장 대사성 질병

05 ④

| 해설 | **신생자돈의 저혈당증 (Neonatal Hypoglycemia)**

본 질병은 모유 섭취 부족의 생후 수일 이내의 신생자돈에서 발생하며 저혈당증을 특징으로 한 우둔,
쇠약, 경련 및 혼수 등을 나타내어 폐사하는 대사성 질병이다. 저체온증, 피부의 창맥 및 심박수
감소가 특징적이며 간 glycogen 양은 거의 완전히 소실되며 혈장 유리지방산도 명료하게 저하된다.
치료를 위해서는 5% 포도당액 15 ml를 복강 내로 4~6시간 간격으로 주사하며 따뜻한 온도를
유지하는 것이 중요하다.

| 추가학습 | [대동물내과학] 제 18장 대사성 질병

06 ③

| 해설 | **미주신경성 소화불량증 (Vagus indigestion)**

제 2위벽의 병변에 기인하여 모든 위의 운동을 지배하는 미주신경의 분지가 손상되어 제 2, 3위구
및 유문괄약근의 이완불능으로 내용물의 통과가 장애됨으로써 위 내용물은 제 1위 또는 제 4위에
정체하게 된다. 치료를 하여도 효과를 나타내지 않는 것이 특징적이다.
기능적 폐색, 확장 또는 식체의 위치 및 정도에 따라서 다양한 정도의 탈수증, 저클로르혈증,
저칼슘혈증, 알칼리증의 경향이 나타난다. 대다수의 예에서 제 4위 내용물이 제 1, 2위 내로
역류되며 전해질과 산염기불균형을 가중시킨다. 제 4위 전위증 시에도 유사한 증상이 나타나지만
복부의 청타진에 의한 금속성음 또는 ping음으로 구별할 수 있다. 예후가 불량하여 절박도살하는
것이 좋지만 제 1위 내용물을 배출시키는 제 1위 절개술을 시행하고 수액처치가 유효할 수 있다.

| 추가학습 | [대동물내과학] 제 5장 소화기 질병

07 ②

| 해설 | **준임상형 유방염**

가장 흔한 형태의 유방염이다. 병원성 세균에 의해 유즙 내에 백혈구 수의 증가가 있지만 유즙의
성상 변화와 발증 정도가 미약하여 육안적 및 촉진검사에서는 정상이다. 임상형 유방염보다 감염
빈도가 높으며, 임상형으로 이행되기 직전의 감염상태로서 그 감염기간이 길다. 유량이 현저히
감소하며, 질 저하가 나타난다.

| 추가학습 | [대동물내과학] 제 22장 유방염

08　⑤

| 해설 |　<u>제1위 고창증 (Ruminal Tympany or bloat)</u>

제1위 내에 가스가 충만되어 심히 확장 및 팽대된 것을 고창증이라 한다.

원발성 제1위고창증 : 어린 청초 및 콩과식물, 농후사료의 과식으로 발생할 수 있다.

속발성 고창증 : 식도폐색, 식도구 기능장애, 농후사료 과식으로 발생할 수 있다.

원발성 고창증에서 복부팽창, 제1위운동의 변화을 볼 수 있다. 경증일 경우 입에다 나무토막을 재갈 모양으로 끼워주면 알칼리성인 타액이 많이 분비되어 이것을 연하함으로써 포말을 없애주는 역할을 할 수있다. 항포말제로 mineral oil을 투여하는 것도 좋은 효과를 나타낼 수 있다. 비육용 농푸사료에는 최소한 10~15%의 양질의 조사료가 배합되어야 한다. 어떤 이유로 굶주렸던 소에 한꺼번에 과식시키는 일이 없도록 해야한다.

| 추가학습 |　[대동물내과학] 제 5장 소화기 질병

09　①

| 해설 |　<u>폐렴(Pneumonia)</u>

소 : *Manheimia haemolytica*와 *Pasteurella multocida*가 소에서 발생하는 수송열의 주요 원인이고 parainfulenza-3 virus는 감염소인일 가능성이 있다.

돼지 : 유행성 폐렴은 *Mycoplasma*속과 *Pasteurella*속의 혼합감염에 의한 합병증이다. 자돈 폐렴의 원인체는 *Bordetella bronchiseptica*이다.

| 추가학습 |　[대동물내과학] 제 9장 호흡기 질병

10　④

| 해설 |　<u>요석증 (Urolithiasis, Urinary Calculus)</u>

요석증은 요도를 폐색시키기 때문에 거세한 반추동물에서 중요한 질병이다. 요도의 폐색은 임상적으로 요의 완전 정체, 배뇨실금, 방광의 확장 및 요도천공과 방광파열 등의 후유증을 수반하는 것이 특징이다. 결석의 형성물질은 대부분 무기질이지만 때로는 유기질이 섞이면서 형성되기도 한다. 요석증은 모든 동물에서 발생하지만 농후사료를 다급하는 비육 중의 수소와 어린 면양 및 특별한 문제 지역에서 방목되는 가축에서 경제적으로 대단히 중요하다. 수산염, estrogen 또는 silica를 함유하고 있는 목초의 존재와 관계가 있다.

종모우는 거세한 수소보다 2배 크기의 결석을 통과시킬 수 있는 것으로 측정되었다. 그러나 거세한 동물의 요도내경을 추정하는 실험에서 조기에 거세한 동물(2개월령)보다 늦게 거세한 동물(6개월령)에서는 요석증이 14% 증가에 불과하였지만, 조기에 거세한 동물은 늦게 거세한 동물에 비해 감수성이 더 큰것은 명백하다.

| 추가학습 |　[대동물내과학] 제 10장 비뇨기 질병

11 ⑤

| 해설 | 팔로4징후에는 다음이 해당한다.
- Pulmonary stenosis
- Right ventricular hypertrophy
- Overriding aorta
- Ventricular septal defect

| 추가학습 | [Nelson 소동물 내과학] Chapter 5 '선천성 심장질환'

12 ④

| 해설 | 개에서는 확장성 심근병증이, 고양이에서는 비대성 심근병증이 호발한다.
개의 확장성 심근병증은 전부하의 증가로 인한 심실확장, 고양이의 비대성 심근병증은 후부하의 증가로 인한 심근 비대가 발생한다.

| 추가학습 | [Nelson 소동물 내과학] Chapter 7 '개의 심근 질병', Chapter 8 '고양이의 심근 질병'

13 ②

| 해설 | 심한 저혈압이나 심장 무수축으로 인해 신경원성 발작에서 주로 확인되는 안면부의 움찔거림이나 경련 증상을 동반하는 저산소성 '경련성 실신'이 발생할 수 있어 실신과 발작을 임상증상으로 명확히 감별하기는 어렵다.

| 추가학습 | [Nelson 소동물 내과학] Chapter 1 '심장질환의 임상증상'

14 ③

| 해설 | MMVD (Myxomatous mitral valve dysplasia)는 심장초음파 상 좌심방의 확장 및 이첨판 역류 소견이 확인되며, 기침, 빈호흡, 운동불내성, 호흡곤란 등의 임상증상을 유발할 수 있다.

| 추가학습 | [Nelson 소동물 내과학] Chapter 6 '후천성 판막과 심내막 질병'

15 ③

| 해설 | 기관지폐포세척 (Bronchoalveolar lavage, BAL)은 기관지경 없이도 시행할 수 있으며, 기관지경의 유도가 없으면 특정 폐엽에서 기관지폐포세척을 진행하는 것이 어려워 산재성 폐 질환에서 주로 이용된다.

| 추가학습 | [Nelson 소동물 내과학] Chapter 20 '하부기도에 대한 진단검사'

16 ④

| 해설 | 임상증상, 환자정보 (품종, 나이), 기관지경 결과 등을 종합하여 기관허탈을 진단할 수 있다. 기침억제제가 증상 완화 및 지속적인 기침으로 갈 수 있는 주기를 막기 위해 쓰일 수 있는데, 처음에는 기침 주기를 중단시키기 위해 고용량을 자주 투여하다가 나중에 투여량과 빈도를 줄이는 것이 추천된다.
그림 출처 : [Nelson 소동물 내과학] 그림 21-8

| 추가학습 | [Nelson 소동물 내과학] Chapter 21 '기관과 기관지 질환'

17 ⑤

| 해설 | Chronic bronchitis와 feline asthma는 모두 만성 기침을 유발하며 방사선상 기관지패턴이 관찰될 수 있으나, 기관기관지세척을 통한 시료 채취 시 feline asthma는 호산구가, chronic bronchitis는 호중구가 다수 관찰된다.

| 추가학습 | [Nelson 소동물 내과학] Chapter 21 '기관과 기관지 질환'

18 ③

| 해설 | 소장성 설사는 흑색변이, 대장성 설사는 선혈변이 주로 확인된다.

| 추가학습 | [Nelson 소동물 내과학] Chapter 26 '소화기 장애의 임상증상'

19 ③

| 해설 | 개 파보 바이러스 감염 시 장내 단백질 소실로 인한 저알부민혈증이 발생할 수 있으나, 탈수 발생 시 적절한 수액 투여가 권장된다.

| 추가학습 | [Nelson 소동물 내과학] Chapter 28 '일반 처치 원리'

20 ①

| 해설 | 환자정보, 임상증상 및 방사선 소견을 종합했을 때 위확장염전 (Gastric dilation volvulus, GDV)을 강하게 의심할 수 있으며, 쇼크 안정화 직후 또는 동시에 위 감압술을 시행하고, 응급수술을 진행하여야 한다.

| 추가학습 | [Nelson 소동물 내과학] Chapter 30 '위의 질병'

21 ①

| 해설 | 해설 : 혈청 Cystatin C는 개와 고양이의 사구체 여과율(GFR, glomerular filtration rate)을 평가하는데 유용한 임상학적 진단 도구로 보기 어렵다. 일반적으로 혈청 크레아티닌이나 SDMA 같은 물질이 이용된다.

| 추가학습 | [수의내과학] 39장 - 비뇨기계 진단검사

22 ⑤

| 해설 | 해설 : 해당 결석은 struvite이며 용해를 통한 치료가 가능하다. 수산칼슘 결석의 경우는 용해시킬 수 있는 방법이 없다.

그림출처 : [수의내과학] 그림 43-6

| 추가학습 | [수의내과학] 43장 - 개와 고양이의 요로 결석증

23 ④

| 해설 | 해설 : 이소성 요관의 진단은 배설성 요로조영술, 투시 요도 혹은 요관 조영술, 복부 초음파, 방광경 그리고 CT 등을 통해 가능하다.

| 추가학습 | [수의내과학] 45장 - 배뇨 장애

24 ③

| 해설 | 해설 : 개에서 간진환의 임상증상은 고양이에 비해 훨씬 더 비특이적인 경향이 있으며 간의 큰 보호 능력 때문에 간의 75%가 손상될 때까지 임상증상이 나타나지 않을 수 있다.

| 추가학습 | [수의내과학] 36장 - 개의 간담도계 질환

25 ③

| 해설 | 해설 : 해당 질병은 황달(janudice, icterus)이다. 정상 동물에서 빌리루빈은 헴(heme) 단백질 분해의 부산물이며 헴 단백질의 주요 원천은 노화된 적혈구이며 myoglobin과 간내 헴 함유 효소계에서도 얻어진다.

그림 출처 : [수의내과학] 35-3

| 추가학습 | [수의내과학] 35장 - 간담도계 질병의 임상증상

26 ③

| 해설 | 부신피질기능항진증(쿠싱증후군)의 임상증상으로는 대표적으로 다음다뇨, 다식증, 간비대, 복부팽대(pot belly), 탈모, 피부위축, 상처회복 지연, 피부석회화 등이 나타난다.
품종은 슈나우저가 특히 쿠싱증후군의 발생 빈도가 높다.
그림 출처 : https://www.kingsdale.com

| 추가학습 | [Nelson 소동물 내과학] Chapter 50 '부신의 질병'

27 ④

| 해설 | GME는 NE에 비하여 예후가 최근에 좋아진 편이다. Multifocal GME의 경우 seizure, cerebellovestibular dysfunction, cervical hyperesthesia 등이 나타난다.
NE는 전뇌기능 이상이 나타나며 seizure, circling, obtunded mental stasus, neck pain등이 나타나며 예후가 매우 불량하다.

| 추가학습 | [Nelson 소동물 내과학] Chapter 64 '뇌염, 척수염, 수막염'

28 ④

| 해설 | 개의 방광에서 발견되는 종양의 대부분은 이행상피암종(Transitional cell carcinmona)이다. 소변과 직접 접촉하는 요로상피세포에서 유래하며, 개 방광암의 대부분을 차지한다. 이행상피세포암종은 방광뿐 아니라 상부 요로인 신우 및 요관에서 발생하는 경우도 있으므로 이에 대한 검사가 필요하다.

| 추가학습 | [Nelson 소동물 내과학] Chapter 81 '개와 고양이의 호발 종양'

29 ⑤

| 해설 | 개와 고양이에서 인슐린 내성을 야기하는 장애의 예로는 쿠싱증후군, 고양이 말단비대증, Intact female 발정사이기, 프로게스테론 분비성 부신피질암종, 외인성 글루코코르티코이드 약물 투여 등이 있다. 추가로 비만, 감염, 만성 염증, 만성 췌장염, 만성 신부전, 갑상샘기능저하증, 갑상샘기능항진증, 종양 등도 영향을 줄 수 있다.

| 추가학습 | [Nelson 소동물 내과학] Chapter 49 '췌장의 내분비 기능'

30 ⑤

| 해설 | 갑상선기능저하증은 다음다뇨 증상은 거의 나타나지 않는다. 주로 피부병변이 흔하게 나타나고 비만, 무기력함, Bradycardia, Arrythmia등의 임상증상이 나타날 수 있다.
다음다뇨는 쿠싱증후군, 당뇨, 갑상선기능항진증에서 주로 나타나는 임상증상이다.

| 추가학습 | [Nelson 소동물 내과학] Chapter 48 '갑상샘의 질병'

31 ②

| 해설 | 고양이 범백혈구감소증은 고양이가 파보바이러스에 감염되면서 나타나는 바이러스성질환이다. 파보바이러스에 감염된 직후 바로 증상이 나타나는 것은 아니고 어느 정도의 잠복기를 거친 후 증상이 나타나게 된다. 잠복기는 일반적으로 3~10일 정도이며 최대 15일까지도 확인할 수 있다. 대표적인 증상은 구토, 설사, 혈변, 식욕부진, 발열, 백혈구 수치 감소, 혈소판 감소 등이다. 파보바이러스로 인해 장점막이 파괴되면 장에서 영양과 수분을 흡수할 수 없게 된다. 따라서 심한 구토와 설사가 나타나고 심해지면 탈수까지 발생한다. 만알 장내세균이 혈관으로 침입하면 패혈증까지 일어날 수 있어 반드시 주의해야 한다. 또 백혈구의 수가 급격하게 감소하면서 면역력이 낮아져 다양한 바이러스나 세균으로 인한 이차감염이 쉽게 일어날 수 있다.

| 추가학습 | [Nelson 소동물 내과학] Chapter 96 '전신다발성 바이러스 질병'

32 ②

| 해설 | 소뇌성 운동실조는 사지 운동의 속도, 범위 그리고 세기에 변화가 있는 운동거리조절이상이 특징적으로 나타난다.
소뇌는 몸의 움직임을 통제하여 섬세하고 조화로운 움직임을 유지하고, 균형을 잡는 데 중요한 구조물이다. 소뇌성 운동실조가 있는 동물은 걸을 때 비틀거리거나 자세가 떨리는 증상이 나타난다. 이외에도 안구운동장애로 인한 어지럼증, 안구진탕 등이 발생할 수 있다.

| 추가학습 | [Nelson 소동물 내과학] Chapter 60 '뇌내성 질환'

33 ①

| 해설 | KBr은 고양이에게 빈맥, 호흡곤란, 천식 등을 유발할 수 있어 고양이에게는 금기되는 항경련 약물이다.

| 추가학습 | [Nelson 소동물 내과학] Chapter 62 '발작 그리고 다른 발작 상황'

34 ③

| 해설 | IMT 환자에서 PT,aPTT는 정상으로 나타난다. PT,aPTT는 2차 지혈 이상을 나타내는 지표이므로 응고인자의 결핍과는 관련이 적다. PT는 외인성 경로의 장애를 평가하는 것이고, aPTT는 내인성과 공통경로를 평가하는 지표이다. IMT와 같은 혈소판감소증은 vWF의 이상을 나타내주는 지표이다.

| 추가학습 | [Nelson 소동물 내과학] Chapter 73 '흔한 면역매개 질병'

35 ⑤

| 해설 | 난소자궁절제술이 자궁축농증의 치료에 선호되는 치료법이지만, 내과적 약물적 치료 또한 존재한다. 약물 치료의 예후는 자궁염의 정도, 경관의 열림닫힘 유무, 경부 혹은 자궁내막의 낭종 발생 여부에 따라 달라진다. 대표적인 약물로는 Prostaglandin, Progesterone receptor blocker(Aglepristone), 도파민 항진제(Cabergolin) 등이 있다.

| 추가학습 | [Nelson 소동물 내과학] Chapter 55 '암캐와 암코양이에서 임상적 특성

36 ③

| 해설 | 만성콩팥질환(CKD)를 가진 환자에서는 고나트륨혈증, 저칼륨혈증, 고인산혈증, 저칼슘혈증, 고마그네슘혈증, 대사성 산증과 같은 전해질 불균형이 나타날 수 있다.

| 추가학습 | [Nelson 소동물 내과학] Chapter 53 '전해질 불균형'

37 ⑤

| 해설 | 영상 검사가 림프종의 진단에 중요하고, 특히 말초 림프절 종대 소견이 없는 환자에서 치료 반응을 모니터링 할 수 있게 해준다. 흉부 방사선상 이상소견에는 폐의 침윤 소견과 흉부 림프절 종대를 포함하고 있다. 복부 방사선이나 초음파 검사를 통해 복부 림프절 종대 및 간과 비장의 침해 여부를 확인할 수 있다.
림프종 FNA 및 flow-cytometric 검사는 림프종 진단의 표준 검사로 간주해야 한다. 림프종 아형까지도 구별이 가능하고, 예후 정보를 확보하여 아형에 따른 맞춤형 치료 전략 수립이 가능하다. 중등급-고등급 위장관 림프종이 있는 개와 고양이에서, 종종 복부 림프절 종대 장이나 위장관 종괴나 복부 장기 침해 소견이 있는 환자는 FNA나 초음파 유도 생검만으로도 진단이 가능하다.

| 추가학습 | [Nelson 소동물 내과학] Chapter 79 '림프종'

38 ②

| 해설 | 당뇨병으로 나타날 수 있는 혈청화학적 검사의 특징으로는 고콜레스테롤혈증, 저나트륨혈증, 고칼륨혈증, 대사성 산증, Anion gap 증가 등이 있다.
저나트륨혈증은 고혈당으로 인하여 혈액삼투압이 증가하며 조직에 수분이 흡수되어 Na 농도가 감소하게 된다.

| 추가학습 | [Nelson 소동물 내과학] Chapter 49 '췌장의 내분비 기능'

39 ③

| 해설 | 혈액도말검사를 진행하여 자가응집반응이 관찰되어 진단된 경우에는 Coomb's test를 진행하지 않아도 된다. Coomb's test는 민감도와 특이도가 낮고 의양성도 많아 자가응집반응 검사를 우선적으로 실시하여야 한다.

| 추가학습 | [Nelson 소동물 내과학] Chapter 71 '면역매개질환의 진단 검사'

40 ①

| 해설 | 재생성 빈혈을 확인할 수 있는 소견으로는 Reticulocytosis, Polychromasia, Macrocytosis, Anisocytosis, nRBC, Howell-jolly body등이 있으며 동물병원에서는 CBC 검사 상 Reticulocyte의 증가 유무를 주로 확인한다.

| 추가학습 | [Nelson 소동물 내과학] Chapter 82 '빈혈'

41 ⑤

| 해설 | 해설 : 고나트륨혈증은 나트륨의 신장배설 감소로 나타날 수 있으며 이럴 경우 고알도스테론증을 보일 수 있다. 알도스테론은 부신의 겉질의 한 층인 사구대에서 만들어지는 스테로이드 호르몬으로, 무기질코르티코이드에 속한다. 집합관과 네프론의 원위세뇨관에서 일어나는 나트륨 이온의 재흡수와 칼륨 이온의 배설을 증가시키는 작용을 하며, 이로 인해 간접적으로 체내 수분량, 혈압, 혈액량에도 영향을 미친다.

| 추가학습 | [수의진단검사의학] 제9장 - 1가 전해질 그리고 삼투압

42 ④

| 해설 | 해설 : 말과 소의 간세포에는 ALT가 거의 존재하지 않아서 이들 종의 경우 간세포 손상에 대한 지표로는 유용하지 않다.

| 추가학습 | [수의진단검사의학] 제12장 - 효소

43 ①

| 해설 | 해설 : GOT는 AST(aspartate transaminase)의 동의어이다.

| 추가학습 | [수의진단검사의학] 제12장 - 효소

44 ③

| 해설 | 해설 : 코르티솔 농도는 혈청에서보다 EDTA-혈장에서 안정적이고, 따뜻한 표본보다 차가운 시료에서 더 안정적이다. 따라서, 시료(특히, 혈청)는 반드시 아이스팩으로 온도를 낮추어 수송해야한다.

| 추가학습 | [수의진단검사의학] 제18장 - 부신겉질의 기능

45 ⑤

| 해설 | 해설 : 삼출액은 염증으로 혈장단백질의 혈관 투과성 증가에 의해 생산되는 유출액이다.

| 추가학습 | [수의진단검사의학] 제19장 - 체강 내 유출액

46 ⑤

| 해설 | 재생성 빈혈에서 재생의 증거로는 Anisocytosis, Polychromasia, Metarubricytosis, Reticulocytosis, Macrocytosis, Howell Jolly body, Basophillic stippling 등이 있다.
Microcytosis, Hypochromasia는 철 결핍성 빈혈에서 주로 나타난다.

| 추가학습 | [수의진단검사의학] Chapter 3 '적혈구'

47 ①

| 해설 | 염증과 스트레스 소견이 있는 동물의 혈액에서는 호중구 증가, 단핵구 증가, 호산구 감소, 림프구 감소가 나타난다.

| 추가학습 | [수의진단검사의학] Chapter 2 '백혈구'

48 ⑤

| 해설 | 2차 응고 이상시 aPTT,PT 시간이 지연되며, 체강 내의 다량 출혈 및 관절강 내 출혈, 혈종이 나타날 수 있다. 국소압박 지혈이 잘 되지 않으며 출혈부위가 관절과 근육 같이 심부에 존재하며 출혈량 또한 대량이다. DIC는 주로 3차 응고 이상이며 후천적으로 섬유소 용해 이상이 생긴 장애를 말한다.

| 추가학습 | [수의진단검사의학] Chapter 5 '지혈'

49 ①

| 해설 | Heinz body는 산화적 손상 및 용혈성 빈혈이 나타날 때 관찰 가능한 비정상적인 적혈구이다. 양파 중독 혹은 아세트아미노펜에 중독된 개와 고양이에서 나타날 수 있다. Heinz body는 산화적 손상이 있는 헤모글로빈이 대사되면서 형성되는 적혈구 내 변성, 침전 헤모글로빈의 집합체이다.
그림 출처 : https://eclinpath.com/hematology/morphologic-features/red-blood-cells/rbc-inclusions/heinz-body-hemolytic-anemia-in-cat-with-acetaminophen-toxicosis/

| 추가학습 | [수의진단검사의학] Chapter 3 '적혈구'

50 ③

| 해설 | Common lymphoid progenitor로 분화되는 세포로는 T cell, B cell, NK cell이 있고, Plasma cell은 B cell로부터 분화된다. Mast cell은 Myeloid progenitor cell로부터 분화된다.

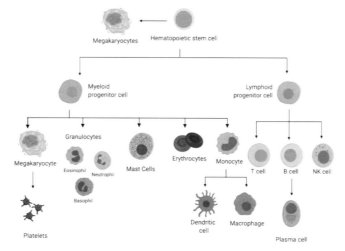

그림 출처 : https://www.mdpi.com/2073-4409/10/10/2507

| 추가학습 | [수의진단검사의학] Chapter 6 '골수 및 림프절'

51 ①

| 해설 | 해당 그림은 Square knot을 만드는 과정이다.

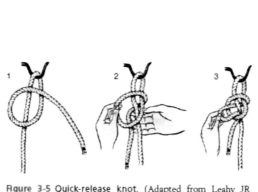

Figure 3-5 Quick-release knot. (Adapted from Leahy JR, Barrow P: Restraint of animals, ed 2, Ithaca, NY 1953, self-published.)

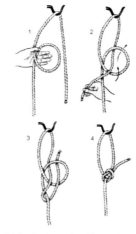

Figure 3-6 Bowline knot. (Adapted from Leahy JR, Barrow P: Restraint of animals, ed 2, Ithaca, NY 1953, self-published.)

그림 출처 : Farm Animal Surgery(2nd) Fig. 3-4, 3.5, 3.6

| 추가학습 | [Farm Animal Surgery] Chapter 3 Presurgical Considerations

52 ②

| 해설 | 해당 사진은 Sole ulcer of the left hind lateral digit after debridement를 나타낸 것이다. Heel 부위의 상처가 있으면 통증을 완화하기 위해 발톱으로 서있는 경향이 생긴다.

그림 출처 : Farm Animal Surgery(2nd) Fig. 15-1

| 추가학습 | [Farm Animal Surgery] Chapter 15 Surgery of the Bovine Musculoskeletal System

53　④

| 해설 |

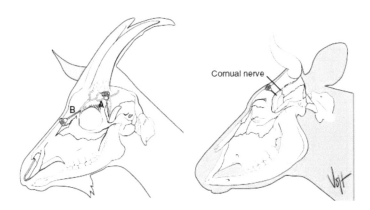

Figure 5-24 Cornual nerve block in the cow and the goat.
Note the additional location for infiltration in the goat. (From
Muir WW, Hubbel JAE, Skarda RT, Bednarski R: *Handbook of
veterinary anesthesia*, ed 3, St. Louis, 2000, Mosby.)

그림 출처 : Farm Animal Surgery(2nd) Fig. 5-24

| 추가학습 |　[Farm Animal Surgery] Chapter 5 Sedation, General Anesthesia, and Analgesia

54　⑤

| 해설 |　소의 제4위 전위증을 교정하는 방법으로는 Rolling, Toggle pin, Bar suture, 그물막 고정술, 제4위 고정술을 실시해볼 수 있다.

| 추가학습 |　[Farm Animal Surgery] Chapter 14 Surgery of the Bovine Digestive System

55　③

| 해설 |　비장은 왼쪽에 존재하여 오른쪽 허구리 절개술로는 접근이 불가능하다.

| 추가학습 |

56　②

| 해설 |　**제4위 좌측전위증(Left-side Displacement of the Abomasum, LDA)**
제4위가 정상 위치(검상연골 바로 뒤쪽의 약간 우측 복저면)에서 좌측으로 변위되어 제1위벽과 좌측 복벽 사이에 끼이게 된 것을 제4위 좌측전위증이라고 한다. 이 질병은 주로 분만 직후의 젖소에 발생하며, 임상적으로는 제4위 내용물의 부분적 통과장애에 기인하여 배변량이 줄면서도 연하며, 변위된 제4위의 상층에 저류된 가스로 인하여 좌측 복벽에서 ping음이 청취되는 것이 특징이다.

우측 전위증에서는 우측 복벽에서 팽다가 나타나고 ping음이 청취된다.

| 추가학습 |　[대동물내과학] 제 5장 소화기 질병

57 ①

| 해설 |

<u>Hoflund's classification</u>
Type 1 - functional stenosis betwwen reticulum and omasum with atony of the rumen and reticulum
Type 2 - functional stenosis between reticulum and omasum with hormal or hypermotile rumen and reticulum
Type 3 - permanent functional stenosis of the pylorus with atony or retained activity of the reticulum
Type 4 - infomplete pyloric stenosis

<u>Ferrante and Whitlock's classification</u>
Type 1 - failure of eructation or free-gas bloat
Type 2 - omasal transport failure
Type 3 - abomasal impaction
Type 4 - partial obstruction of the stomach

| 추가학습 | [Farm Animal Surgery] Chapter 14 Surgery of the Bovine Digestive System

58 ⑤

| 해설 | 산업동물의 치료에서 개체 치료는 큰 의미가 없다.

59 ③

| 해설 | 열과 습도에 민감한 물품에 안전한 특징을 가지는 멸균 방법은 과산화수소 기체 플라즈마에 대한 설명이다.

표 2.2 수술 기구, 이식물, 장비들의 멸균 또는 소독 방법				
물품별 분류	살균의 정도	살균/소독의 종류	장점	단점
고위험성 (수술 기구들, 이식물들, 심장 카테터)	아포를 포함하여 모든 미생물을 죽임	• 증기(고압증기멸균)	• 무독성 • 사용이 쉬움 • 저렴한 비용 • 빠른 작용시간 • 포장과 내강을 침투	• 열에 견딜 수 없는 물품에 유해함 • 화상을 입지 않도록 주의해서 사용해야 함
		• 과산화수소 기체 플라즈마	• 안전, 독성 잔류물질이 없음 • 빠른 사이클 타임; 환기가 필요하지 않음 • 작용 온도 50℃(122°F); 열과 습도에 민감한 물품에 안전 • 조작이 간단	• 셀룰로즈(종이), 린넨, 또는 액체는 사용할 수 없음 • 합성(폴리프로필렌) 포장재와 특수한 멸균용기 시스템이 필요 • 기구의 방이 좁으므로 너무 양이 많거나 부피가 큰 물품에는 사용할 수 없음
		• 에틸렌 옥사이드	• 효율적 • 의료 포장재를 침투 • 관찰과 조절이 쉬움	• 직원에 대한 잠재적인 위험 • 긴 환기 시간이 필요
		• 증기 과산화수소	• 사용하기 안전; 독성 잔류물질이 없음 • 빠른 사이클 타임; 환기가 필요하지 않음 • 열과 습도에 민감한 물품에 안전	• 기구의 방이 좁으므로 너무 양이 많거나 부피가 큰 물품에는 사용할 수 없음 • 액체, 린넨, 가루, 셀룰로즈 소재에는 사용할 수 없음 • 합성(폴리프로필렌) 포장재와 특수한 멸균용기 시스템이 필요

그림 출처 : 소동물 외과학, 5판 Chapter 2 표 2.2

| 추가학습 | [소동물 외과학, 5판] Chapter 2 수술 장비와 공급품의 취급과 주의

60 ⑤

| 해설 |

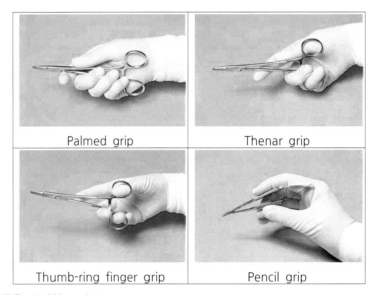

표 6.1 수술 전 스크럽(Surgical scrub)에 사용되는 일반적인 항균성 비누		
항균성 비누	작용기전	특성
Chlorhexidine gluconate	세포벽과 세포단백질 파괴	• 광범위(그람음성균이나 곰팡이보다 그람양성균에 더 효과적) • 살바이러스제 • 각질과 결합하여 잔류 작용 • 유기물에 의해 불활성화 되지 않음 • Iodophors에 비해 적은 피부 자극

그림 출처 : 소동물 외과학, 5판 Chapter 6 표 6.1

| 추가학습 | [소동물 외과학, 5판] Chapter 6 수술 팀의 준비

61 ①

| 해설 |

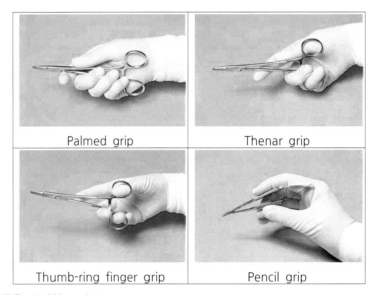

Palmed grip   Thenar grip

Thumb-ring finger grip   Pencil grip

그림 출처 : 소동물 외과학, 5판 Fig 7.5 ~ 7.8

| 추가학습 | [소동물 외과학, 5판] Chapter 7 외과 기구

62 ③

| 해설 |

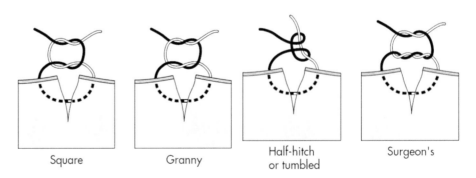

Square   Granny   Half-hitch or tumbled   Surgeon's

부정확한 매듭(Tumbled, half hitches, granny knot)은 절개부의 열개를 유발할 수 있다.
가장 안전하고 단단한 매듭의 배치는 square 매듭을 겹치는 것이다.
그림 출처 : 소동물 외과학, 5판 Chapter 8 Fig 8.10

| 추가학습 | [소동물 외과학, 5판] Chapter 8 생물재료, 봉합, 지혈

63 ②

| 해설 |

염증기

혈관의 투과도가 증가하고, 순환하는세포들의 화학쏠림(Chemotaxis)이 증가하며, 사이토카인과 성장인자의 분비가 증가하고, 세포 활성(대식세포, 호중구, 림프구, 섬유모세포)이 증가한다.

이물제거기

백혈구와 사멸조직으로 구성된 상처 삼출물과 상처액이 상처에 형성된다. 화학쏠림 유인물질로 인하여 호중구와 단핵구가 상처 부위에 나타나고 이물제거를 시작한다. 호중구는 2~3일간 그 숫자가 증가한다.

복구기

보통 손상 후 3~5일에 시작된다. 손상 후 3~5일이 지나면 새로운 모세혈관, 섬유모세포 및 섬유 조직이 어우러져 밝은 선홍색의 신선한 육아조직을 형성한다.

성숙기

상처 치유의 성숙기에는 흉터의 변화로 인하여 상처 장력이 최고치에 달한다. 상처의 성숙은 콜라겐이 상처에 충분히 쌓이면 시작되고 몇 년동안 지속될 수 있다.

| 추가학습 | [소동물 외과학, 5판] Chapter 15 피부 수술

64 ④

| 해설 |

고막이 파열된 경우에는 0.2% 이상의 chlorhexidine 용액, 희석되지 않은 iodine과 iodophors, ethanol, benzalkonium chloride 및 aminoglycoside 계열 항생제를 사용해서는 안된다.

| 추가학습 | [소동물 외과학, 5판] Chapter 17 귀 수술

65 ⑤

| 해설 |

만일 목 식도 후방으로 접근이 필요하다면, 복장머리근을 분리하고 견인한다. 식도, 갑상샘, 앞뒤쪽갑상샘혈관, 되돌이후두신경(recurrent laryngeal nerve), 그리고 목혈관 신경집(미주교감 신경줄기, 목동맥과 안쪽목정맥)을 포함하는 근접한 해부학적 구조를 노출시키기 위해 오른쪽으로 기관을 견인한다.

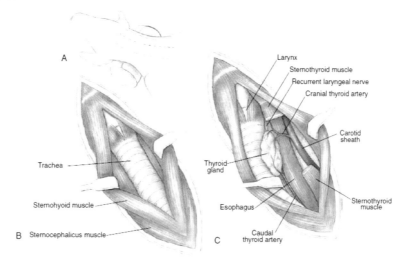

그림 출처 : 소동물 외과학, 5판 Fig 18.42

| 추가학습 | [소동물 외과학, 5판] Chapter 18 소화기계 수술

66 ②

| 해설 | **위확장-꼬임(Gastric dilation volvulus, GDV)**
덩치가 크고 흉곽이 깊은 종(Great Dane, Saint Bernard, German shepherd, Doberman pinscher 등)에서 잘 발생하지만 고양이, 소형견에서도 보고된 바 있다.
일반적으로 수술자의 입장에서 개가 ventral recumbency 상태로 누워있을 때, 위가 시계방향으로 회전되는 경우가 많다.

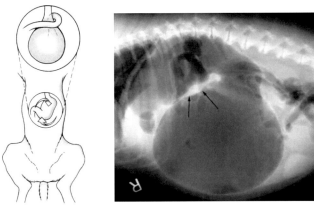

그림 출처 : 소동물 외과학, 5판 Fig 18.86, 87

| 추가학습 | [소동물 외과학, 5판] Chapter 18 소화기계 수술

67 ①

| 해설 | 간 생검을 위한 FNA를 진행은 환자에 안전한 내경이 큰 바늘, 특히 14G 바늘을 사용해야 한다. 중심생검을 실시한다면 적어도 2~3개(2cm 길이)의 시료를 만들어야 한다.

| 추가학습 | [소동물 외과학, 5판] Chapter 20 간 수술

68 ④

| 해설 | 지라 울혈을 유발하는 barbiturate는 사용을 피해야하며 acepromazine도 적혈구 격리, 저혈압 및 혈소판 기능저하 등을 일으킬 수 있기 때문에 빈혈 동물에서 사용을 금한다.

| 추가학습 | [소동물 외과학, 5판] Chapter 23 혈액림프계 외과

69 ③

| 해설 | 방광경을 통해 holmium:yttrium-aluminium-garnet(Ho-YAG) 레이저를 이용한 돌깸술(쇄석술)은 82%의 개에서 성공적으로 요로돌을 제거한다고 보고된 바 있다.

| 추가학습 | [소동물 외과학, 5판] Chapter 25 방광과 요도의 수술

70 ①

| 해설 |

상자 26.4 어린 나이에서 생식샘 절제술 시 예상되는 것

- 7주령 이상의 개와 고양이에서 초기 생식샘절제술이 안전하다.
- 난소자궁절제술을 3개월 이하 암캐에서 실시하면 요실금 위험이 높다.
- 성장판 폐쇄가 8~9주에 지연되어 장골의 길이가 증가한다.
- 대형견종의 경우 과도한 정강뼈고원 각도 형성의 위험이 증가한다.
- 6~8주령에 거세 시 음경, 음경꺼풀, 외음부가 작아질 수 있다.
- 비만 증가, 사료 섭취량, 활성도, 하부 요로계 질환, 긴뼈골절, 관절염, 면역억제 또는 작은 요도와는 관련 없다.
- 낮은 이환율과 빠른 마취 회복과 관련이 있다.

그림 출처 : 소동물 외과학, 5판 Box 26.4

| 추가학습 | [소동물 외과학, 5판] Chapter 26 생식기계 수술

71 ⑤

| 해설 |

BOX 27.5 Angiographic Classification of Patent Ductus Arteriosus Morphology

Type I
Diameter of the ductus gradually decreases in size from the aorta to the pulmonary artery

Type IIA (Most Common)
Walls of the ductus parallel to each other with abrupt decrease in diameter of the ductus at the pulmonary ostium

Type IIB
Diameter of the ductus markedly decreases in size from the aorta to the pulmonary artery

Type III
Ductus is tubular with little or no change in diameter throughout its length

동맥관열림증을 결찰하는 동안 때때로 느린맥이 발생한다. 항콜린성약물(Atropine, glycopyrrolate)를 반드시 준비하고 심박수가 1분당 60이하로 떨어지면 투여해야 한다.
그림 출처 : 소동물 외과학, 5판 Box 27.5

| 추가학습 | [소동물 외과학, 5판] Chapter 27 심혈관계 수술

72 ①

| 해설 | 환자의 임상증상이 경미하고 허탈이 50% 미만일 때, 대부분의환자에서 내과 치료로 임상증상이 개선되기 때문에 내과 처치가 추천된다. 체중을 감량하는 것이 내과 처치 성공을 위해 필수이다. 수술은 중등도나 심각한 임상증상을 보이고, 속공간 직경이 50% 이상 감소하거나 내과 처치에 반응이 없는 모든 환자에게 적용될 수 있다.

| 추가학습 | [소동물 외과학, 5판] Chapter 28 상부호흡기 수술

73 ③

| 해설 | 해설 : 동물은 거의 0.5 MAC에서 깨어난다.

| 추가학습 | [수의마취학 핸드북] 제9장 - 흡입마취와 흡입마취제

74 ⑤

| 해설 | 해설 : 발관은 환자의 의식이 어느 정도 회복 된 이후 진행한다. 마취 종료 직후 발관 시 기관 확보가 되지 않은 상태에서 무호흡 등에 대처하기 어려워 환자의 안전이 위험해질 수 있다.

| 추가학습 | [수의마취학 핸드북] 제11장 - 기관 삽관과 기도 확보

75 ①

| 해설 | 해설 : 해당 방법은 진동측정법(oscillometric method)로 수축기, 평균, 이완기 혈압이 측정 가능하며 수축기 혈압만 측정이 가능한 것은 초음파 doppeler 장비이다.
그림 출처 : [수의마취학 핸드북] 14-18

| 추가학습 | [수의마취학 핸드북] 제14장 - 마취 중 환자감시

	1	2	3	4	5	6	7	8	9	10
70						⑤	③	②	②	④
80	②	①	④	⑤	③	③	②	④	⑤	①
90	④	③	④	①	④	②	③	⑤	⑤	②
100	④	③	②	②	⑤	①	③	③	④	①
110	④	⑤	②	③	⑤	⑤	④	④	②	⑤
120	⑤	③	①	②	①	④	⑤	③	②	①

76 ⑤

| 해설 |　해설 : 안과 수술 시 마취 도입은 안압을 증가시키지 않는 방향으로 이루어져야한다. 안면 마스크를 활용한 마취 도입은 눈 주변을 압박하여 안압을 상승시킬 소지가 있으므로 피하는 것이 좋다.

| 추가학습 |　[수의외과학] 제17장 - 눈수술

77 ③

| 해설 |　해설 : 각막 천공 시에는 연고보다는 액체로 된 안약을 써야한다. 왜냐하면 연고는 압방으로 흡수되어 중증의 포도막염을 일으킬 수 있기 때문이다.

| 추가학습 |　[수의외과학] 제17장 - 눈수술

78 ②

| 해설 |　해설 : 발병 원인이 아직 규명되지는 않았지만, 1차 또는 2차 샘염, 근막의 부착이상 등과 관련이 있을 수 있으며 일차적인 염증, 종양, 과다형성이 원인이 되지는 않는다.

| 추가학습 |　[수의외과학] 제17장 - 눈수술

79 ②

| 해설 |　해설 : 단두종에서 가장 흔하게 나타난다.

| 추가학습 |　[수의외과학] 제17장 - 눈수술

80 ④

| 해설 |　해설 : 결막판을 들어 올린 후 회전시켜 각막 병변부를 결막판으로 덮는다. 각공막가장자리와 결막판의 가장자리가 서로 맞닿는 곳에 한 번씩, 총 두 개의 봉합을 한다. 이 때 각공막가장자리(limbus) 깊이의 반 이상을 통과하지 않도록 주의한다.
그림출처 - [수의외과학 제4판] 그림 17-6

| 추가학습 |　[수의외과학] 제17장 - 눈수술

81 　②

| 해설 | 　환자의 형상(근육의 질, 체중, 사지와 관절의 구조)은 대개 환자의 선자세에서 평가된다. 다른 소견에는 체중부하의 감소, 관절의 부종, 국소적인 근육위축, 사지나 관절의 전위[안쪽이나 바깥쪽으로의 회전, 과다폄(과신전)이나 과다굽힘(과굴곡)]가 포함되며 mass effect 역시 환자의 선자세에서 관찰될 수 있다.

| 추가학습 | 　[소동물 외과학, 5판] 31장 정형외과와 재생의학의 원리

82 　①

| 해설 |

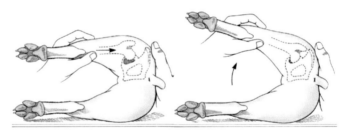

십자인대 손상을 검사하기 위해서는 한 손의 엄지를 가쪽 장딴지근머리종자뼈 위에 위치시키고 집게손가락을 무릎뼈의 위에 위치시킨다. 이 손으로 넙다리뼈를 고정시킨다. 반대편 손의 엄지를 꼬리쪽 종아리뼈머리에 위치시키고 집게손가락을 정강뼈거친면 위에 위치시킨다. 먼저 무릎관절을 굽힌 다음 펴면서 정강뼈가 넙다리뼈 앞쪽과 먼쪽으로 움직여 본다.
그림 출처 : 소동물 외과학, 5판 Fig 31.8

| 추가학습 | 　[소동물 외과학, 5판] 31장 정형외과와 재생의학의 원리

83 　④

| 해설 |

엉덩관절이 이완되어 있는지 검사하기 위해 환자를 옆으로 누운자세로 위치시키고 한 손을 무릎관절의 등쪽에 놓고 다른 손으로 무릎관절을 잡는다. 넙다리뼈를 검사대와 평행하게 고정하고 모으고 골반을 향해 무릎관절을 누름으로써 넙다리뼈머리를 아탈구시킨다. 계속 압박하면서 다리를 벌린다. 넙다리뼈머리가 볼기뼈절구로 되돌아가면서, 째깍음(click)을 느끼게 될 것이다.
그림 출처 : 소동물 외과학, 5판 Fig 31.10

| 추가학습 | 　[소동물 외과학, 5판] 31장 정형외과와 재생의학의 원리

84 　⑤

| 해설 | 　경막외 마취(lidocaine, bupivacaine, ropivacaine)와 전신마취 혼용법은 일시적으로 마비된 뒷다리 근육을 최고로 이완시켜, 골반, 넙다리뼈, 정강뼈의 골절 정복을 쉽게할 수 있도록 한다.

| 추가학습 | 　[소동물 외과학, 5판] 32장 골절진단 및 골절관리의 원칙

85 ③

| 해설 |

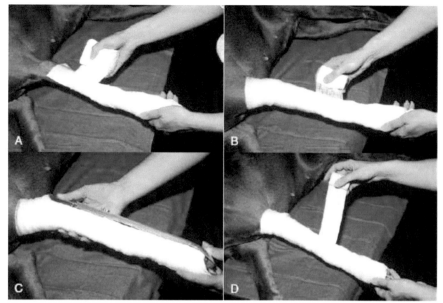

FIG. 32.2 (A) When placing a spoon splint on a limb, firmly apply cast padding around the limb in a spiral fashion with a 50% overlap. (B) Wrap elastic gauze firmly over the cast padding. (C) Place the padded limb in an appropriate-sized splint. (D) Secure the splint to the limb with Vetrap or elastic adhesive tape.

Spoon splint에 대한 설명이다.
그림 출처 : 소동물 외과학, 5판 Fig 32.2

| 추가학습 | [소동물 외과학, 5판] 32장 골절진단 및 골절관리의 원칙

86 ③

| 해설 | 골절평가점수는 1부터 10까지 매기며 일반적으로 높은 점수(8~10), 중간 점수(4~7), 낮은 점수(1~3)로 구분한다. 높은 점수를 가진 골절은 성공적으로 치유되고 합병증이 거의 없는 반면에 더 낮은 점수를 가진 골절은 치유 가능성이 낮아지고 합병증도 증가한다.

| 추가학습 | [소동물 외과학, 5판] 32장 골절진단 및 골절관리의 원칙

87 ②

| 해설 | **갯솜뼈 자가이식(Cancellous autograft)**
갯솜뼈 자가이식은 모든 이식편과 비교해 볼 때 아주 중요한 기준이 되는 것으로 최적의 뼈형성, 뼈유도, 뼈전도 특성과 비면역원의 특성을 갖추고 있다. 신속한 뼈형성이 요구될 때, 최적의 뼈치유가 일어나지 않을 것으로 예상되어(골절수복 후 겉질결손, 성축과 나이든 환자의 골절, 지연유합, 불유합, 절골부위, 관절 고정, 낭성결손) 치유를 도와주기 위하여 또는 감염된 골절부위에서 뼈의 형성을 촉진하기 위하여 추천할 수 있다. 단전으로는 이식편을 채취하기 위하여 추가적인 수술시간이 요구되고 채취한 지점에서 이환 가능성이 있으며 소형 환자 또는 나이든 환자에서 갯솜뼈채취가 제한될 수 있다는 점이다.
갯솜뼈는 모든 긴뼈의 뼈몸통끝에서 채취할 수 있다; 그렇지만 갯솜뼈 채취부위로 몸쪽 앞다리위뼈, 몸쪽 정강뼈, 먼쪽 넙다리뼈, 엉덩뼈 날개 등이 가장 많이 사용되는데 이는 접근하기 쉽고 많은 양을 획득할 수 있기 때문이다. 이식편은 항상 골절 안정화 후에 채취한다.

| 추가학습 | [소동물 외과학, 5판] 32장 골절진단 및 골절관리의 원칙

88 ④

| 해설 |

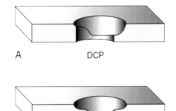

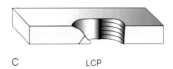

FIG. 32.50 (A) Cross sections of plate hole in a dynamic compression plate (DCP), (B) limited-contact dynamic compression plate (LC-DCP), and (C) locking compression plate (LCP).

DCP : 타원형 구멍이 있는 뼈판은 나사를 조이는 동적인 행동에 의해 압착이 일어난다.

LC-DCP : 골막 접촉을 최소화하여 골막 혈액 공급의 손상을 줄일 수 있는 특징이 있다.

LCP : 기존의 나사와 잠금나사를 모두 받아들이는 혼합 뼈판 구멍을 가지고 있다.

그림 출처 : 소동물 외과학, 5판 Fig 32.50

| 추가학습 | [소동물 외과학, 5판] 32장 골절진단 및 골절관리의 원칙

89 ⑤

| 해설 |

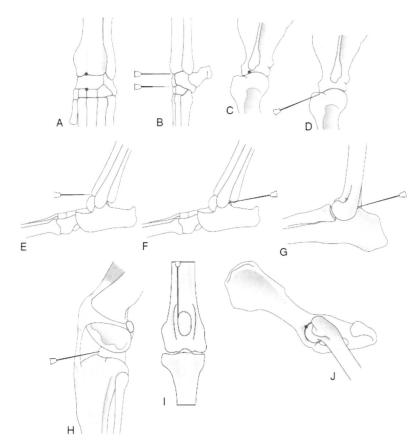

그림 34.1 윤활액 채취; 개와 고양이에서 관절천자를 위해 추천하는 부위(A-B). *앞발목관절*: 관절을 부분적으로 구부린다. 중간 앞발목 관절 안 또는 노뼈쪽 앞발목 관절안의 머리안쪽면을 촉진하고 이 부위로 바늘을 삽입한다. (C) *어깨(가쪽 접근)*: 어깨뼈봉우리돌기(acromion process)의 바로 먼쪽에서 바늘을 삽입한다. (D) *어깨(앞쪽 접근)*: 큰 결절의 바로 안쪽과 어깨뼈 관절위결절(supraglenoid tubercle)의 배쪽을 향하도록 바늘을 삽입한다. (E) *뒷발목관절(앞쪽 접근)*: 발목관절의 앞가쪽면에서 정강이뼈와 발꿈치뼈사이의 공간을 촉진한다. 촉진된 공간에 얕게 바늘을 삽입한다. (F) *뒷발목관절(가쪽 접근)*: 관절을 부분적으로 굽힌 상태에서 종아리 가쪽 복사뼈 아래쪽으로 바늘을 삽입한다. (G) *앞다리굽이관절*: 가쪽관절융기의 안쪽으로 앞다리굽이관절 돌기와 근접하여 바늘을 삽입한다. (H) *무릎관절(가쪽접근)*: 무릎인대의 바로 가쪽, 무릎뼈의 먼쪽에서 바늘을 삽입한다. (I) *무릎관절(등쪽접근)*: 무릎뼈 등쪽으로 무릎뼈와 도르래고랑 사이를 지나게 바늘으로 삽입한다. (J) *엉덩관절*: 다리를 벌린 후 안쪽으로 회전시킨다. 바늘을 큰돌기의 등쪽에서 배쪽과 뒷쪽으로 각을 주면서 삽입한다.

그림 출처 : 소동물 외과학, 5판 Fig 34.1

| 추가학습 | [소동물 외과학, 5판] 34장 관절병

90 ①

| 해설 | Total hip replacement(THR)은 가장 발전된 수술법으로 훈련받고 경험 있는 외과의사가 실행해야 한다.

| 추가학습 | [소동물 외과학, 5판] 34장 관절병

91 ④

| 해설 | 방사선 조사범위의 가쪽으로 갈수록 왜곡이 심해진다.

| 추가학습 | [수의진단방사선과학] 제1절 '영상의학의 물리학 및 판독의 원리'

92 ③

| 해설 | 해당 환자의 관골구와 대퇴골두에 remodeling 및 신생골 형성이 진행되어 있고, 관골구의 연골하골의 방사선 불투과성이 증가해 있다. 이는 모두 고관절 이형성의 방사선 소견에 해당한다.
그림 출처 : [Textbook of Veterinary Diagnostic Radiology, 7th edition] Fig.21.28

| 추가학습 | [수의진단방사선과학] 제18장 '개와 고양이 관절질환의 방사선학적 소견'

93 ④

| 해설 | 외측상 caudodorsal 영역 및 배복상 우측 중엽과 후엽의 음영이 증가하여 폐혈관이 불명확하게 확인되며, 이는 폐포패턴으로 판단할 수 있다.
이첨판 이형성증에 이차적으로 발생한 좌심부전이 심인성 폐수종을 유발했을 가능성을 우선적으로 고려할 수 있다.
그림 출처 : [Textbook of Veterinary Diagnostic Radiology, 7th edition] Fig.35.27

| 추가학습 | [수의진단방사선과학] 제33장 '개와 고양이 폐'

94 ①

| 해설 | 복강 내의 지방은 장막면의 대조도를 증가시키기 때문에 비만인 동물은 장막면 영상화의 감소와는 거리가 멀다.

| 추가학습 | [수의진단방사선과학] 제36장 '복막 공간'

95 ④

| 해설 | 결석의 뒤로 나타나는 초음파 허상은 acoustic shadowing이며, 초음파가 투과하지 못하는 매질을 만났을 때 뒤로 그림자가 지는 현상이다.
그림 출처 : [Textbook of Veterinary Diagnostic Radiology, 7th edition] Fig.4.7

| 추가학습 | [수의진단방사선과학] 제4장 '초음파 영상의 물리학'

96 ②

| 해설 | 건강한 개에서 초음파 상 비장은 간과 신장보다 에코가 높으며, 간은 비장보다 coarse한 에코를 나타낸다. 또한 스테로이드 복용 후 침윤성 간 질환으로 인하여 간이 전보다 고에코로 변하고, fine해질 수 있다.

97 ③

| 해설 | 신장의 크기가 정상보다 작을 경우 급성 신부전보다는 만성 신부전을 의심하는 것이 타당하다.

| 추가학습 | [수의진단방사선과학] 제38장 '신장과 요관'

98 ⑤

| 해설 | CT (Computed tomography)는 방사선 발생장치로, 단층 촬영을 통해 다양한 평면의 3D 이미지를 얻는 것이 가능하며 보통 조영 촬영을 함께 진행한다.

| 추가학습 | [수의진단방사선과학] 제4장 '컴퓨터 단층촬영 및 자기공명 영상의 원리'

99 ⑤

| 해설 | 우측 경골의 근위부부터 원위 1/3 지점까지 moth-eaten 형태의 골융해 및 불규칙한 골막반응이 확인되며 이는 공격적인 뼈 병변이다. 이런 공격적인 뼈 병변은 종양에서 나타날 수 있다. 또한 폐야 전반에 다수의 결절 형태의 간질패턴이 확인되는 것으로 보아 폐 전이를 의심할 수 있다.

| 추가학습 | [수의진단방사선과학] 제17장 '뼈 종양 및 뼈 감염증의 방사선학적 소견'

100 ②

| 해설 | 폐 후엽이 흉벽과 횡격막으로부터 떨어져 있는 소견과, 중력 방향 폐엽에 무기폐가 발생하여 심장이 중력방향으로 변위되어 외측상에서 흉골과 심장이 떨어져 보이는 소견은 기흉의 소견이다.
그림 출처 : [수의진단방사선과학] 제31장 '흉막공간'

| 추가학습 | [수의진단방사선과학] 제31장 '흉막공간'

101 ④

| 해설 | 소의 난소에서의 난포 발달 단계는 원시난포 - 1차난포 - 2차난포 - 성숙(혹은 동;antral)난포 - 황체 순서다. 원시난포는 조금 더 크고 난모세포 주변을 둘러싼 한 층의 평평한 과립층세포를 가지고 있다. 1차 난포는 입방(cuboidal) 과립층세포를 가지고 있다. 2차난포는 2개 이상의 과립세포층과 기저막이 있다. 성숙난포는 가장 크고 성숙한 난포이며 방(antrum)이라는 액체로 찬 공간과 난모세포가 있는 난구(cumulus oophorus)가 있다. 황체는 배란 후 성숙난포의 잔여물로 형성된 구조며 임신을 도울 수 있는 프로게스테론을 분비한다.

난포의 발달과 배란과 연관되어 있는 호르몬은 (단계별 분비되는 호르몬 X) FSH, LH, estrogen, progesterone이다. FSH는 뇌하수체 전엽에서 분비되며 난포의 성장과 성숙을 촉진한다. LH 또한 뇌하수체 전엽에서 분비되며 배란을 촉진하고 황체의 형성을 유발한다. 에스트로겐은 성장하는 난포의 과립층세포에서 분비되며 소의 생식기계와 행동에 여러 영향을 미친다. 프로게스테론은 황체에서 분비되며 다음 배란을 억제하고 자궁에서의 착상을 준비하는 역할을 한다.

추가학습 : Ginther, O. J., Wiltbank, M. C., Fricke, P. M., Gibbons, L. J., & Kotwica, J. (1996). Follicular dynamics during the ovulatory cycle of the cow. Reproduction (Supplement 52), 209-228.

| 추가학습 | [수의산과학] 제1장 '생식기관의 구조와 기능'

102 ③

| 해설 | 릴랙신은 개에서 임신 중 태반과 황체에서 분비되는 호르몬이다. 임신한 개의 생식기계와 다른 조직에 여러 영향을 미치는데 이 중 하나는 프로락틴 분비에 대한 프로게스테론의 음성 피드백을 억제하는 역할이다. 프로게스테론은 황체에서 분비되어 시상하부에서 분비되는 도파민의 방출을 증가시킴으로써 프로락틴의 분비를 억제한다. 도파민은 뇌하수체전엽에서 프로락틴의 분비를 억제하는 신경전달물질이다. 프로락틴은 암컷 개에서 젖의 생산을 촉진하고 모성행동을 유발하는 호르몬이다. 프로게스테론의 음성피드백을 억제함으로써 릴랙신은 그래프에서와 같이 임신에서 프로락틴이 증가할 수 있도록 한다.
①,② 릴랙신은 프로락틴의 수용체에 결합하지 않으며 도파민에 대한 감수성 역시 아무런 영향을 미치지 않는다.
③ 프로락틴에 대한 에스트로겐의 양성 피드백을 증가시키는건 사람에서는 맞는 말이지만, 개에서는 그렇지 않다.
⑤ 그래프에서처럼 임신 중 프로락틴과 같이 동시에 호르몬 농도가 증가할 수 있도록 영향을 미친다.
그림 출처 : Concannon, P. W., Castracane, V. D., Temple, M., & Montanez, A. (2018). Endocrine control of ovarian function in dogs and other carnivores. Animal Reproduction (AR), 6(1), 172-193.

| 추가학습 | [수의산과학] 제2장 '번식내분비'

103 ②

| 해설 | 정자발생은 수컷 동물에서 정자가 생산되고 성숙하는 단계를 말한다. 크게 두 가지 단계로 이루어지는데, 감수분열과 분화다. 감수분열은 2n에서 n으로 염색체의 수가 감소하는 세포 분화 과정을 말한다. 분화는 정모세포(spermatocyte)가 정자(spermatozoa)로 변하는 형태적/기능적 변화를 말하며 이를 거쳐서 머리, 몸통, 꼬리 세 부분으로 나뉜다. 감수분열과 분화 모두 정액이 형성되는 고환 내 나선모양의 관인 정세관에서 일어난다.

| 추가학습 | [수의산과학] 제3장 '번식생리'

104 ②

| 해설 | 상피융모태반은 돼지와 말, 결합조직융모태반은 소,양,염소와 같은 반추동물, 내피융모태반은 개, 고양이, 혈융모태반은 사람과 영장류, 혈내피태반은 토끼, 설치류가 해당된다.
그림 출처 : http://www.vivo.colostate.edu/hbooks/pathphys/reprod/placenta/ruminants.html

| 추가학습 | [수의산과학] 제4장 '임신기'

105 ⑤

| 해설 | 소에서 초음파 검사를 통해 임신 여부를 판단하는 가장 확실한 기준은 자궁내액(uterine fluid)이다. 자궁내액은 임신 중에 자궁 내부에 형성되는 액체로 채워진 얇은 막이다. 자궁내액은 임신 초기에 자궁 뒷벽에 붙어 있으며, 임신 후기에는 자궁 전체에 퍼져 있다. 태반과 태아는 초음파 검사에서 임신 여부를 판단하는 부차적인 기준이다. 자궁과 자궁내막은 임신 여부와 상관없이 변화할 수 있는 요인이 많다.
그림 출처 : https://epashupalan.com/6228/dairy-husbandry/early-pregnancy-diagnosis-and-its-importance-in-dairy-cattle-management/

| 추가학습 | [수의산과학] 제5장 '임신진단'

106 ①

| 해설 | 소 바이러스성 설사(Bovine Viral Diarrhea; BVD)는 단일가닥 RNA(single-stranded RNA; ssRNA) 바이러스인 BVDV에 의해 발생하는 질병이다. BVDV는 감염된 동물의 상태, 임신 단계 등에 따라 다양한 임상증상을 유발할 수 있다. 임신한 소가 임신 초기에 BVDV에 감염되면 유사산, 혹은 미라화 될 수도 있다. 임신 중기에 감염되면 낙태 또는 평생 바이러스를 배출하는 지속 감염 송아지 (persistently infected calves) 가 태어날 수 있다. 임신 후기에 감염되면 태아에게 수두증, 소뇌 형성 부전 등과 같은 선천적 결함을 유발할 수 있다. 이 문제의 젖소는 임신 후기에 BVDV에 감염되어 여러 선천적 결손을 가진 태아를 유산했다.

| 추가학습 | [수의산과학] 제6장 '임신기의 질병 및 사고'

107 ③

| 해설 | 개의 질탈이 발정기에, 소의 질탈이 분만 2~3개월 전에 일어난다.

| 추가학습 | [수의산과학] 제9장 '산욕기의 손상과 질병'

108 ③

| 해설 | 말의 제왕절개술에서 자궁 봉합은 Whipstitch S.로 진행하며, Utrecht S.는 주로 소의 자궁 봉합시 사용되는 방법이다.
그림 출처 : https://visgar.vetmed.ufl.edu/en_equrep/cesarean-section/cesarean-section.html

| 추가학습 | [수의산과학] 제8장 '난산'

109 ④

| 해설 |

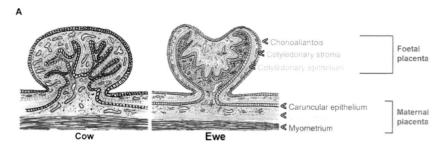

모체측의 자궁소구 (caruncle) 과 태아측의 궁부 (cotyledon)을 합쳐서 태반엽 (placentome)이라 하며 위 사진과 같이 소는 볼록형, 양은 오목형이다.

그림 출처 : Pastor-Fernández, I., Collantes-Fernández, E., Jiménez-Pelayo, L., Ortega-Mora, L. M., & Horcajo, P. (2021). Modeling the ruminant placenta-pathogen interactions in Apicomplexan parasites: current and future perspectives. Frontiers in Veterinary Science, 7, 634458.

| 추가학습 | [수의산과학] 제4장 '임신기'

110 ①

| 해설 |

자궁탈출증(Uterine prolapse)은 즉각적인 치료가 필요한 생명을 위협하는 응급 상황이다. 첫 번째 단계는 젖소의 자궁탈출증의 흔한 원인인 저칼슘혈증을 교정하기 위해 글루콘산 칼슘 (gluconate calcium) 정맥주사를 투여하는 것이다. 저칼슘혈증은 근육 약화와 자궁 무력증을 유발하여 자궁이 복부로 수축하지 못하게 하는 원인이 된다. 글루콘산 칼슘은 또한 심혈 관계를 안정시키고 쇼크를 예방하는 데 도움이됩니다. 다른 보기는 초기 치료로 적절하지 않다:

② 탈출된 자궁에 설탕이나 고장성 식염수를 바르면 부종을 줄이고 탈출을 줄이는 데 도움이 될 수 있지만 근본적인 저칼슘혈증이나 쇼크는 해결하지 못한다.

③ 경막외 마취를 하고 자궁을 직접 넣는 것은 저칼슘혈증과 쇼크를 교정하는 다음 단계다. 자궁이 찢어지거나 천공되지 않도록 부드럽게 압력을 가하는 것이 중요하다.

④ 제왕절개술을 시행하고 자궁을 제거하는 것은 자궁이 심하게 손상, 괴사되었거나 직접 교체가 불가능한 경우 최후의 수단이다. 합병증의 위험이 크며 향후 생식 가능성을 제거한다.

⑤ 탈출된 자궁을 외음부에 봉합하고 외과 수의사에게 의뢰하는 것은 적절한 치료를 지연시키고 감염, 출혈, 괴사의 위험을 증가시키므로 권장하지 않는다.

| 추가학습 | [수의산과학] 제6장 '임신기의 질병 및 사고'

111 ④

| 해설 |

앞무릎이 굴곡된 완관절굴절위(knee-flexed posture), 또는 양 다리가 태아 몸 밑으로 굽이져 있을 때 구절의 굴곡에 비해 더욱 심한 난산이 인정된다. 이 경우 태아 머리가 산도 중에 신장되어 있지 않으면 정복하여 교정한다.

참고) ▶주관절굴절위

그림 출처 :
https://www.slideshare.net/MohamedWahab2/5th-year-practical-revision-fetal-presentations

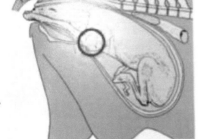

| 추가학습 | [수의산과학] 제8장 '난산'

112 ⑤

| 해설 | 프로게스테론이 소에서 양막수종이나 요막수종을 예방할 수 있다는 것에는 근거가 없다. 프로게스테론은 임신을 유지하고 자궁의 수축을 억제하는 역할이지만, fetal fluid의 양이나 조성에는 영향을 미치지 않는다.

| 추가학습 | [수의산과학] 제6장 '임신기의 질병 및 사고'

113 ②

| 해설 | OHE가 가장 확실한 치료법이긴 하나, 수액 및 항생제, PGF2α 투여 등의 약물요법도 존재한다.

| 추가학습 | [수의산과학] 제10장 '불임증'

114 ③

| 해설 | 프리마틴을 가진 암컷의 경우 정상적인 성분화가 나타나지 않고, 불임이기 때문에 발정주기가 나타나지 않는다.
사진 출처 : https://www.thecattlesite.com/articles/975/what-is-a-freemartin

| 추가학습 | [수의산과학] 제4장 '임신기'

115 ⑤

| 해설 | PGF2α는 황체 용해(luteolysis) 또는 황체의 퇴행을 유발하는 호르몬이다. 황체는 배란 후 난소에 형성되어 프로게스테론을 생성하는 구조물이다. 프로게스테론은 임신을 유지하고 발정을 억제하는 호르몬이다. PGF2α를 투여하면 황체가 파괴되고 프로게스테론 수치가 떨어지면서 소에서 발정을 일으킬 수 있다.
① 성장호르몬 : 다양한 조직에서 성장과 대사를 촉진하는 호르몬으로, 생식기나 발정 주기에 직접적인 영향을 미치지 않는다.
② 옥시토신 : 자궁의 수축과 유즙의 배출을 촉진하는 호르몬이다. 난소의 기능이나 발정기에 직접적인 영향을 미치지 않는다.
③ 에스트로겐 : 발정주기 시 행동을 촉진하고 짝짓기를 위한 생식기계의 준비를 도와준다. 그러나, 에스트로겐만 단독으로 투여하는 경우에는 프로게스테론이 에스트로겐보다 더 지배적인 역할을 하기 때문에 기능 황체가 있는 소에서 발정을 유도하지 못한다.
④ 테스토스테론 : 수컷의 성적 특징과 행동을 촉진하는 호르몬이다. 암컷의 생식기계나 발정주기에 직접적인 영향을 미치지 않는다.

| 추가학습 | [수의산과학] 제3장 '번식생리'

116 ⑤

| 해설 |
개가 75일(51~82일)로 가장 길다.
① 소: 소는 일 년 내내 발정주기를 갖는 다발성 동물이다. 발정주기의 평균 길이는 21일이며 발정휴지기는 약 13일에 불과하다.
② 말: 말은 봄과 여름에 발정주기를 갖는 계절성 다발성 동물이다. 발정주기의 평균 길이는 21일이며, 발정휴지기는 약 2주(12~18일)다.
③ 돼지: 돼지는 일 년 내내 발정주기를 갖는 다발성 동물이다. 발정주기의 평균 길이는 21일이며 발정휴지기는 며칠(9~13일)에 불과하다.
④ 양: 양은 가을과 겨울에 발정 주기를 갖는 계절성 다발성 동물입니다. 발정 주기의 평균 길이는 17일이며 발정휴지기는 약 17일이다.

| 추가학습 | [수의산과학] 제3장 '번식생리'

117 ④

| 해설 |
태아 위치 이상은 태아가 산도에 제대로 정렬되지 않았을 때 발생하는 질환이다. 태아가 자궁경부와 질을 정상적으로 통과하는 것을 방해하여 난산을 초래할 수 있다. 태아 위치 이상은 선천성 결함, 다태아 또는 자궁 이상으로 인해 발생할 수 있다. 자궁에서 느껴지는 딱딱한 덩어리는 위치가 잘못된 태아의 머리나 골반일 가능성이 높다. 이것의 가장 적절한 치료는 복부 절개를 통해 자궁에서 태아를 제거하는 수술 절차인 제왕절개이다.
① 자궁 무력증은 자궁이 태아를 배출하기 위해 적절하게 수축하지 못할 때 발생하는 질환이다. 저칼슘혈증, 피로, 스트레스 또는 자궁 과다 팽창(uterine overdistension)으로 인해 발생할 수 있다. 자궁 무력증은 자궁 수축과 모유 배출을 자극하는 호르몬인 옥시토신 투여로 치료할 수 있다. 그러나 옥시토신은 자궁 파열이나 태아 곤란(fetal distress)을 유발할 수 있으므로 자궁이 막히거나 태아의 위치가 잘못된 경우에는 사용해서는 안 된다.
② 자궁 염전은 자궁이 장축 (long axis)을 중심으로 비틀어질 때 발생하는 질환이다. 태아의 움직임, 자궁의 수축 또는 복부 외상으로 인해 발생할 수 있다. 자궁염전은 자궁과 태반으로 가는 혈관을 손상시켜 태아의 사망 또는 낙태를 유발할 수 있다. 자궁을 풀고 태아를 분만하는 수술적 교정을 통해 치료할 수 있다. 그러나 자궁 염전은 개에서 드물게 발생하며 일반적으로 임신 후기 또는 분만 후에 발생한다.
③ 거대태아는 태아가 너무 커서 산도를 통과하지 못할 때 발생하는 질환이다. 유전적 요인, 산모와 태아의 불균형 또는 임신성 당뇨병이 원인일 수 있다. 또한, 난산을 유발할 수 있다. 댐(dam)이 수축하는 동안 태아를 부드럽게 견인하는 수동 적출로 치료할 수 있다. 그러나 태아의 위치가 잘못된 경우에는 태반이나 태아에게 부상을 입힐 수 있으므로 수동 적출을 시도해서는 안 된다.
⑤ 태반 박리는 분만 전 또는 분만 중에 태반이 자궁벽에서 분리될 때 발생하는 질환이다. 감염, 독소, 외상 또는 조기 진통으로 인해 발생할 수 있다. 태아 저산소증이나 사망은 물론 산모의 출혈이나 감염을 유발할 수 있다. 태반 박리는 황체 용해와 자궁 수축을 유발하는 호르몬인 프로스타글란딘 투여로 치료할 수 있다. 그러나 문제와 같은 상황에서는 프로스타글란딘을 사용해서는 안된다.

| 추가학습 | [수의산과학] 제8장 '난산'

118 ④

| 해설 | 자궁 내막 염증은 세균, 곰팡이 또는 바이러스 감염으로 인해 자궁 내벽에 염증이 생길 때 발생하는
질환이다. 배아의 착상 및 발달을 방해하거나 낙태 또는 태반염을 유발하여 불임을 유발할 수 있다. 자궁
내막 염증은 미생물과 염증 세포의 종류와 수를 확인할 수 있는 자궁 배양 및 세포 검사로 진단할 수 있다.
① 자궁 내막 섬유증은 만성 염증이나 손상으로 인해 자궁 내막에 흉터가 생길 때 발생하는 질환이다. 자궁
혈류와 수용성을 감소시키거나 자궁샘(uterine glands)을 막음으로써 불임을 유발할 수 있다. 자궁 내막
섬유증은 자궁 내막 생검으로 진단할 수 있으며, 이를 통해 섬유증의 정도와 범위를 확인할 수 있다.
② 자궁 내막 섬유증은 만성 염증이나 손상으로 인해 자궁 내막에 흉터가 생길 때 발생하는 질환이다. 자궁
혈류와 수용성을 감소시키거나 자궁샘을 막음으로써 불임을 유발할 수 있다. 자궁 내막 섬유증은 자궁 내막
생검으로 진단할 수 있으며, 이를 통해 섬유증의 정도와 범위를 확인할 수 있다.
③ 자궁내막 낭종은 자궁샘이나 림프관의 확장으로 인해 자궁내막에 형성되는 액체로 채워진 구조물이다.
정자 이동, 배아 이동 또는 태반 부착을 방해하여 불임을 유발할 수 있다. 자궁내막 낭종은 초음파 검사로
진단할 수 있으며, 초음파 검사를 통해 낭종의 크기와 위치를 확인할 수 있다.
③ 자궁내막증식증은 과도한 에스트로겐 자극 또는 프로게스테론 억제 부족으로 인해 자궁내막이
두꺼워지는 질환이다. 내분비 환경을 변화시키고 정상적인 착상을 방해하여 불임을 유발할 수 있다. 자궁
내막 증식은 자궁 내막 생검으로 진단 할 수 있으며, 이는 자궁 내막 세포의 증식과 형태를 보여줄 수 있다.
⑤ 자궁 내막 암종은 자궁 내막에서 발생하는 드문 악성 종양이다. 자궁 조직을 침범하여 파괴하고 다른
장기로 퍼져 불임을 유발할 수 있다. 자궁내막암은 암세포의 존재와 특성을 보여줄 수 있는 자궁내막
생검으로 진단할 수 있다.

| 추가학습 | [수의산과학] 제9장 '산욕기의 손상과 질병'

119 ②

| 해설 | 생리학적인 발정과 배란이 일어나지 않기 때문에 수태율이 지극히 낮고 난소낭종을 유발할 수 있다.

| 추가학습 | [수의산과학] 제11장 '수정란 이식과 동물생명공학'

120 ⑤

| 해설 | 유전적 결함은 돼지에서 불임증의 원인이 될 수 있지만, 다른 네 가지 원인에 비해 흔하지 않고,
대부분의 경우는 번식능력에 영향을 주지 않는다. 고온 스트레스, 호르몬 장애, 감염성 질환, 영양
결핍은 모두 돼지에서 불임증을 유발할 수 있는 일반적이고 중요한 요인들이다.

| 추가학습 | [수의산과학] 제10장 '불임증'

121 ⑤

| 해설 | 인공수정이나 호르몬 치료의 필요성 감소는 배아 이식으로 생산된 형질 전환 동물을 사용할 때 얻을
수 있는 잠재적 장점이 아니다. 형질전환 동물은 다른 종의 외래 유전자를 지니도록 유전적으로
변형된 동물이다. 수정란 이식이란 공란 동물의 수정란을 수란 동물에게 이식하는 기술입니다. 이러한
방법은 생산량 증가, 저항력 강화 또는 적응력 향상과 같은 바람직한 형질을 가진 형질전환 동물을
생산하는 데 사용할 수 있다. 그러나 이러한 방법으로 인공수정이나 호르몬 치료의 필요성이
없어지는 것은 아니며, 생식 주기를 조절하고 동물의 생식력을 개선하는 데 여전히 사용된다.

| 추가학습 | [수의산과학] 제11장 '수정란 이식과 동물생명공학'

122 ③

| 해설 |

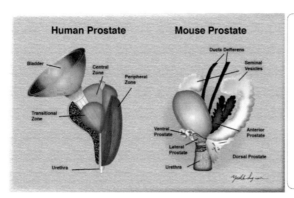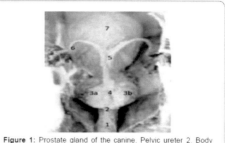

Figure 1: Prostate gland of the canine. Pelvic ureter 2. Body of the 3rd prostate gland. Left prostatic lobe 3b. Right prostatic lobe. 4. Prostatic longitudinal groove 5. Ampoule of the vas deferens 6. Deferential duct 7. Bladder.

그림 출처 : https://www.sciencedirect.com/topics/medicine-and-dentistry/prostate-ventral-lobe
https://juniperpublishers.com/apbij/APBIJ.MS.ID.555670.php
마우스와 랫트의 경우 전립선은 4개 (anterior, dorsal, lateral, ventral)의 엽으로 나뉘어져 있으며 개의 경우에는 왼쪽과 오른쪽 2개의 엽으로 나뉘어져 있다.

| 추가학습 | [수의산과학] 제1장 '생식기관의 구조와 기능'

123 ①

| 해설 |

분만기는 보통 3기로 구분된다. 제1기(개구기)는 간헐적인 진통(labour pains)의 발작으로 시작되어 태포의 질 내 진입과 파수가 일어나며, 제2기(출산기)는 진통의 반복과 노책을 동반하는 복압의 증가에 의해 태아가 산출된다. 제3기(후산기)는 태아 만출 직후부터 태막이 완전히 배출될 때까지의 시기다. 정상분만은 진통으로부터 시작되어 후산(태막)의 배출로 끝나게 된다.
① 제3기에 해당된다.

| 추가학습 | [수의산과학] 제7장 '분만'

124 ②

| 해설 |

원발성 자궁무력증은 개에서 가장 많이 나타나고 소나 돼지에는 간혹 보이며, 말과 양에서는 드물게 나타난다.

| 추가학습 | [수의산과학] 제8장 '난산'

125 ①

| 해설 |

멜라토닌은 어둠에 반응하여 송과선에서 생성되는 호르몬이다. 멜라토닌은 뇌하수체에서 LH와 FSH의 방출을 자극하는 GnRH의 생성에 영향을 미친다. 이 호르몬은 양의 난소 활동과 발정주기를 조절한다. 양은 낮이 짧고 밤이 긴 가을철에 짝짓기가 가장 왕성해지므로 멜라토닌은 양에게 중요한 역할을 한다. 따라서 멜라토닌은 양의 번식기를 시작하고 유지하는 데 중요한 역할을 한다.

| 추가학습 | [수의산과학] 제3장 '번식생리'

126 ④

| 해설 | 제왕절개술을 받은 소는 수술 후 다시 수태된다.

| 추가학습 | [수의산과학] 제8장 '난산'

127 ⑤

| 해설 | 만일 음문이나 질전정이 적당한 시간 내에 확장되지 않거나 시급히 확장이 필요할 때는 경막외마취나 절개부의 국소침윤마취로 회음절개술(episiotomy)을 실시한다. 그러나 산도나 태아가 감염되어 있을 때는 회음절개술을 실시해서는 안된다.
그림 출처 : [수의산과학] 그림 8-84

| 추가학습 | [수의산과학] 제9장 '산욕기의 손상과 질병'

128 ③

| 해설 | 릴랙신은 배란 후 개의 자궁 내막에서 분비되는 펩타이드 호르몬이다. 분만 시 골반 인대와 자궁경부를 이완시키고 태반 발달, 유선 성장 및 태아 성숙에도 중요한 역할을 한다:
① 프로스타글란딘은 배란 후 개와 소의 자궁 내막에서 분비되는 지질 유래 분자다. 황체 형성, 자궁 수축, 자궁 경부 확장 및 태반 박리와 같은 생식 기관에 다양한 영향을 미친다.
② 류코트리엔은 배란 후 개와 소의 자궁 내막에서 분비되는 지질 유래 분자다. 혈관 투과성, 백혈구 이동, 사이토카인 생성에 영향을 미치는 등 염증 및 면역 조절 역할을 한다.
④ 인터페론 타우는 배란 후 소의 자궁 내막에서는 분비되지만 개의 자궁 내막에서는 분비되지 않는 사이토카인이다. 프로스타글란딘 합성과 자궁 내 옥시토신 수용체의 발현을 억제하여 황체 용해를 방지하고 임신을 유지한다.
⑤ 성장 인자는 배란 후 개와 소의 자궁 내막에서 분비되는 단백질 분자다. 자궁 내막 수용성, 착상 등 세포 성장, 분화 및 혈관 신생을 촉진하는 역할을 한다.

| 추가학습 | [수의산과학] 제3장 '번식생리'

129 ②

| 해설 | 개와 고양이의 산욕성 강직증 또는 산후 자간증(puerperal tetany or eclampsia)은 저칼슘혈증을 특징으로 하는 대사성 질병이다. 분만 후 최초 3주간의 비유가 왕성한 암캐에서 관찰되나, 분만 전이나 분만 중 또는 분만 후 6주간까지도 발생될 수 있다. 혈청 칼슘치는 정상의 ~12㎎/100㎖에서 5~7㎎/100㎖로 감소된다. 모든 품종에서 발생되지만, 소형이나 중형의 개들에서 가장 많이 발생한다.

| 추가학습 | [수의산과학] 제 9장 '산욕기의 손상과 질병'

130 ①

| 해설 | 낭종성 황체는 정상 배란에 이어 형성된 것이며, 황체내에 지름 7~10㎜ 이상의 중심강이 있고 액으로 차 있다. 낭종성 황체는 소의 난소에 잘 발생하며, 발생 빈도는 난포낭종의 2.5배까지 달한다. 난포낭종은 황체낭종보다 훨씬 많이 발생하므로, ①은 틀린 설명이다.

| 추가학습 | [수의산과학] 제10장 '불임증'

4교시 - 수의법규 / 축산학

	1	2	3	4	5	6	7	8	9	10
0	⑤	⑤	②	④	④	⑤	④	④	②	⑤
10	①	⑤	⑤	①	②	⑤	④	③	③	④

01 ⑤

| 해설 | 해설 : 수의사법 제1장 - 제1조
이 법은 수의사(獸醫師)의 기능과 수의(獸醫)업무에 관하여 필요한 사항을 규정함으로써 동물의 건강증진, 축산업의 발전과 공중위생의 향상에 기여함을 목적으로 한다.

| 추가학습 | [수의사법]

02 ⑤

| 해설 | 해설 : 수의사법 제2장 - 제5조
마약, 대마(大麻), 그 밖의 향정신성의약품(向精神性醫藥品) 중독자. 다만, 정신건강의학과전문의가 수의사로서 직무를 수행할 수 있다고 인정하는 사람은 그러하지 아니하다.

| 추가학습 | [수의사법]

03 ②

| 해설 | 해설 : 수의사법 시행령 제4조
수의사국가시험위원장은 농림축산식품부차관이 되고, 부위원장은 농림축산식품부의 수의(獸醫)업무를 담당하는 3급 공무원 또는 고위공무원단에 속하는 일반직공무원이 된다.

| 추가학습 | [수의사법 시행령]

04 ④

| 해설 | 해설 : 수의사법 제3장 - 제17조
② 동물병원은 다음 각 호의 어느 하나에 해당되는 자가 아니면 개설할 수 없다.
1. 수의사
2. 국가 또는 지방자치단체
3. 동물진료업을 목적으로 설립된 법인(이하 "동물진료법인"이라 한다)
4. 수의학을 전공하는 대학(수의학과가 설치된 대학을 포함한다)
5. 「민법」이나 특별법에 따라 설립된 비영리법인

| 추가학습 | [수의사법]

05 ④

| 해설 |
해설 : 수의사법 시행령 제13조
1. 개설자가 수의사인 동물병원: 진료실 · 처치실 · 조제실, 그 밖에 청결유지와 위생관리에 필요한 시설을 갖출 것. 다만, 축산 농가가 사육하는 가축(소 · 말 · 돼지 · 염소 · 사슴 · 닭 · 오리를 말한다)에 대한 출장진료만을 하는 동물병원은 진료실과 처치실을 갖추지 아니할 수 있다.

2. 개설자가 수의사가 아닌 동물병원: 진료실 · 처치실 · 조제실 · 임상병리검사실, 그 밖에 청결유지와 위생관리에 필요한 시설을 갖출 것. 다만, 지방자치단체가 「동물보호법」 제35조제1항에 따라 설치 · 운영하는 동물보호센터의 동물만을 진료 · 처치하기 위하여 직접 설치하는 동물병원의 경우에는 임상병리검사실을 갖추지 아니할 수 있다.

| 추가학습 | [수의사법 시행령]

06 ⑤

| 해설 |
해설 : 가축전염병 예방법 제1장 - 제2조
"가축전염병 특정매개체"란 전염병을 전파시키거나 전파시킬 우려가 큰 매개체 중 <u>야생조류 또는 야생멧돼지</u>와 그 밖에 농림축산식품부령으로 정하는 것을 말한다.

| 추가학습 | [가축전염병 예방법]

07 ④

| 해설 |
해설 : 가축전염병 예방법 제1장 - 제7조, 제8조
가축방역관은 가축전염병에 의하여 오염되었거나 오염되었다고 믿을 만한 역학조사, 정밀검사 결과나 임상증상이 있으면 가축이나 그 밖의 물건을 검사하거나 관계자에게 질문할 수 있으며 가축질병의 예찰에 필요한 최소한의 시료(試料)를 무상으로 채취할 수 있다.

| 추가학습 | [가축전염병 예방법]

08 ④

| 해설 |
해설 : 가축전염병 예방법 제3장 - 제30조, 제31조, 제32조
다음 각 호의 어느 하나에 해당하는 물건은 수입하지 못한다.
1. 농림축산식품부장관이 지정 · 고시하는 수입금지지역에서 생산 또는 발송되었거나 그 지역을 거친 지정검역물
2. 동물의 전염성 질병의 병원체
3. 소해면상뇌증이 발생한 날부터 5년이 지나지 아니한 국가산 30개월령 이상 쇠고기 및 쇠고기 제품
4. 특정위험물질

그럼에도 불구하고 다음 각 호의 어느 하나에 해당하는 물건은 수입할 수 있다.
1. 시험 연구 또는 예방약 제조에 사용하기 위하여 농림축산식품부장관의 허가를 받은 물건
2. 항공기 · 선박의 단순기항 또는 밀봉된 컨테이너로 차량 · 열차에 싣고 제1항제1호의 수입금지지역을 거친 지정검역물
3. 동물원 관람 목적으로 수입되는 동물(농림축산식품부장관이 수입위생조건을 별도로 정한 경우에 한정한다)

| 추가학습 | [가축전염병 예방법]

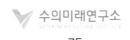

09 ②

| 해설 | 해설 : 측산물 위생관리법 제1장 - 제2조
"가축"이란 소, 말, 양(염소 등 산양을 포함한다), 돼지(사육하는 멧돼지를 포함한다), 닭, 오리, 그 밖에 식용(食用)을 목적으로 하는 동물로서 대통령령으로 정하는 동물을 말한다.

"대통령령으로 정하는 동물"이란 다음 각 호의 동물을 말한다.
1. 사슴 2. 토끼 3. 칠면조 4. 거위 5. 메추리 6. 꿩 7. 당나귀

| 추가학습 | [축산물 위생관리법]

10 ⑤

| 해설 | 해설 : 동물보호법 제1장 - 제1조
동물보호법은 동물의 생명보호, 안전 보장 및 복지 증진을 꾀하고 건전하고 책임 있는 사육문화를 조성함으로써, 생명 존중의 국민 정서를 기르고 사람과 동물의 조화로운 공존에 이바지함을 목적으로 한다.

| 추가학습 | [동물보호법]

11 ①

| 해설 | 해설 : 동물보호법 제1장 - 제2조
"동물"이란 고통을 느낄 수 있는 <u>신경체계가 발달한 척추동물</u>로서 다음 각 목의 어느 하나에 해당하는 동물을 말한다.
가. 포유류
나. 조류
다. 파충류 · 양서류 · 어류 중 농림축산식품부장관이 관계 중앙행정기관의 장과의 협의를 거쳐 대통령령으로 정하는 동물

| 추가학습 | [동물보호법]

12 ⑤

| 해설 | 해설 : 동물보호법 제1장 - 제11조
동물을 운송하는 자 중 농림축산식품부령으로 정하는 자는 운송을 위하여 전기(電氣) 몰이도구를 사용하지 아니하여야 한다.

| 추가학습 | [동물보호법]

13 ⑤

| 해설 | 해설 : 동물보호법 제4장 - 제50조
누구든지 미성년자에게 체험 · 교육 · 시험 · 연구 등의 목적으로 동물(사체를 포함한다) 해부실습을 하게 하여서는 아니 된다. 다만, 「초 · 중등교육법」 제2조에 따른 학교 또는 동물실험시행기관 등이 시행하는 경우 등 농림축산식품부령으로 정하는 경우에는 그러하지 아니하다.

| 추가학습 | [동물보호법]

14 ①

| 해설 | 해설 : 수의사법 제3장 - 제17조 / 동물보호법 제6장 - 제69조
동물병원을 개설하려면 농림축산식품부령으로 정하는 바에 따라
특별자치도지사·특별자치시장·시장·군수 또는 자치구의 구청장에게 신고하여야 한다.
반려동물과 관련된 다음 각 호의 영업을 하려는 자는 농림축산식품부령으로 정하는 바에 따라
특별자치시장·특별자치도지사·시장·군수·구청장의 허가를 받아야 한다.
1. 동물생산업 2. 동물수입업 3. 동물판매업 4. 동물장묘업

| 추가학습 | [수의사법], [동물보호법]

15 ②

| 해설 | 해설 : 동물용 의약품등 취급규칙 제2장 - 제3조
「약사법」 제20조 제2항에 따라 동물약국의 개설등록을 하려는 자는 별지 제1호서식의 신청서를
특별자치시장·시장·군수 또는 자치구의 구청장(이하 "시장·군수 또는 구청장"이라 한다)에게 제출하여야 한다.

| 추가학습 | [동물용 의약품등 취급규칙]

16 ⑤

| 해설 | 해설 : 동물용 의약품등 취급규칙 제1장 - 제2조
"동물용의약외품"이라 함은 다음 각 목의 어느 하나에 해당하는 물품으로서 농림축산검역본부장또는
국립수산물품질관리원장이 정하여 고시하는 것을 말한다.

| 추가학습 | [동물용 의약품등 취급규칙]

17 ④

| 해설 | 해설 : 자아넨종, 누비안종, 알파인종은 면양이 아니라 '산양'의 품종이다.

18 ③

| 해설 | 해설 : 초유에는 송아지의 태분(胎糞)의 배설을 촉진 시켜주는 물질이 들어있고 단백질은 일반 우유의
5배, 지방 및 무기질은 2배, 철분은 10배정도 함유되어 있다.
어미 소의 질병 경력이 많을수록, 새끼를 많이 낳은 소일수록 더 많은 면역물질이 들어있다. 초유속에
들어있는 면역물질은 분만후 시간이 지날수록 급격히 낮아진다. 분만 2일이 경과되면 거의 없어지고,
송아지의 면역물질 흡수능력도 급격히 떨어진다. 단백질의 소화를 억제시키는 항 트립신 물질이
들어있어 출생 24시간 이후에도 약간의 면역물질은 흡수된다.

19 ③

| 해설 | 해설 : 닭의 인공수정은 1940년대부터 실용화되었으며 수정율이 개선된다

20 ④

| 해설 | 해설 : 옥수수, 밀, 등 곡물사료는 소화율 및 기호성이 높다.

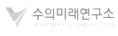